Hector Guimard
Arch^te d'Art
Paris

Le Style Guimard
Cabinet de travail de M. Guimard

Le Style Guimard
Le Métropolitain - Station de l'Étoile

METROPOLITAIN

Hector Guimard, Archᵗᵉ d'Art, Paris

Le Style Guimard
Expⁿ de la Céramique
Paris 1898
Porche en Céramique d'une Habitation

Hector Guimard, Archᵗᵉ d'Art, Paris

Le Style Guimard
Magasins de M. Nozal
à Saint-Denis

L. NOZAL FILS AINÉ

Hector Guimard

Pavillon Le Style Guimard
Exposition de l'Habitation 1903

Hector Guimard
Arch.te d'Art
Paris

Philippe Thiébaut,
depuis ses études
d'histoire de l'art
à Nancy, s'intéresse
à l'Art nouveau.
Conservateur au musée
d'Orsay depuis 1980,
il est spécialiste des
arts décoratifs en
France et en Belgique,
et a publié de
nombreux articles.
Il a été, en 1985,
commissaire de
l'exposition Gallé au
musée du Luxembourg,
et, en 1992, de
l'exposition Guimard,
au musée d'Orsay puis
à Lyon, ville natale
de l'architecte, à
l'occasion du
cinquantième
anniversaire de la
mort de Guimard.

*Tous droits de traduction
et d'adaptation réservés
pour tous pays ·
© Gallimard/Réunion des
musées nationaux 1992
Dépôt légal : mars 1992
Numéro d'édition : 55076
ISBN : 2-07-053194-5
Imprimerie Kapp Lahure
Jombart, à Evreux*

GUIMARD
L'ART NOUVEAU

Philippe Thiébaut

DÉCOUVERTES GALLIMARD
RÉUNION DES MUSÉES NATIONAUX
ARCHITECTURE

« **D**u jour où j'ai commencé à exprimer ce que je pensais à l'Ecole des beaux-arts, on m'a appelé le Ravachol de l'architecture. Je me disais, et avec raison, semblait-il : puisque l'on m'a décoré de ce titre alors que je faisais de petits projets très mauvais, je l'avoue, et sans intérêt, comment me traîtera-t-on lorsque, au lieu de concevoir de simples images, j'édifierai des choses que l'on ne pourra pas démolir.»

CHAPITRE PREMIER
LE RAVACHOL
DE L'ARCHITECTURE

Les compositions et arrangements de motifs végétaux fortement stylisés, destinés au décor architectural, évoquent les exercices scolaires basés sur l'étude de la nature.

Le 11 octobre 1882 est admis à l'Ecole nationale des arts décoratifs de Paris un adolescent de quinze ans nommé Hector Germain Guimard, né le 10 mars 1867 à Lyon, où son père, orthopédiste de formation, dirigeait un gymnase médical, transféré à Paris en 1882, au 112 boulevard Malesherbes.

Curieusement, ce n'est ni le père du garçon, ni sa mère qui lui servent de garants lors de l'inscription, mais une parente de madame Guimard, Appolonie Grivellé, propriétaire aisée du quartier d'Auteuil.

Le jeune Hector se trouve-t-il en butte à quelque problème familial? Le fait qu'il ne réside pas chez ses parents, mais dans la maison de madame Grivellé, 147 avenue de Versailles, le laisse supposer. Une correspondance postérieure d'une quinzaine d'années vient également étayer cette hypothèse : dans une lettre à Louvrier de Lajolais, directeur de l'Ecole des arts décoratifs, l'ancien élève, devenu enseignant dans ces mêmes murs, se souvient avec amertume du début, pénible, de ses études.

L'Ecole des arts décoratifs, rue de l'Ecole de médecine, trouve son origine dans l'Ecole royale gratuite de dessin, fondée en 1766 par Bachelier, dans le but d'assurer aux artisans un solide apprentissage du dessin. Toutes les techniques de dessin y sont pratiquées, en particulier le dessin d'ornement, à partir de modèles. A l'époque où Guimard y est élève, avant d'y enseigner, la section des jeunes gens compte 1 200 inscrits. L'empreinte de Viollet-le-Duc, qui y fut professeur de composition ornementale, domine.

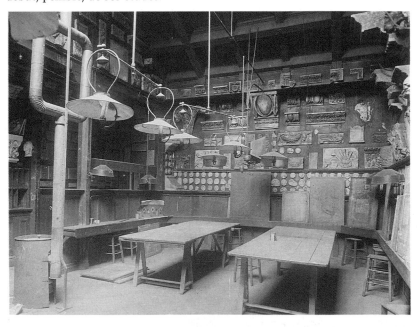

«J'étais entré dans votre Ecole abandonné par mes parents, condamné à accepter la protection d'une parente avec celle d'amis»

Les contrariétés ne l'empêchent cependant pas de remporter de beaux succès. Dès avril 1883, il est admis en deuxième division, puis, le 26 décembre de la même année, dans la section d'architecture. L'année scolaire 1883-1884 est couronnée par trois médailles de bronze et deux d'argent. L'année suivante, les résultats sont encore meilleurs : quatre médailles de bronze et cinq d'argent auxquelles viennent s'ajouter le prix du ministre, le prix Jumelle, le prix Normand – un livret de cent francs attribué à l'élève qui obtient le plus de «valeurs» dans toutes les sections du cours oral d'architecture – et surtout le grand prix de l'Ecole, fondé par un ancien professeur, Jay, décerné à l'étudiant qui totalise le plus de points dans tous les domaines de l'architecture. Non seulement ce prix garnit les poches du jeune Guimard, assurément peu argenté, d'une somme de trois cents

Gustave Raulin, le maître de Guimard, dirige à l'Ecole des beaux arts. l'atelier libre créé en 1863 par l'architecte Vaudremer.

francs, mais il lui donne également, pour la première fois, l'occasion d'être cité dans une revue professionnelle : *L'Architecte*.

L'enseignement qu'il reçoit aux Arts décoratifs semble lui avoir parfaitement convenu, en particulier celui dispensé par un jeune architecte de trente ans, titulaire du cours de dessin d'architecture, Charles Genuys (1852-1928). Pendant quarante ans, Genuys est la véritable âme de l'Ecole. Fondé sur une intransigeante loyauté intellectuelle, son enseignement est libre de tout préjugé et de tout dogmatisme. Il se méfie des formules creuses aussi bien que des affirmations trop tranchées, refuse les habitudes de l'œil et de l'esprit. Bien que partisan d'un art dominé par le sentiment de la mesure et de la proportion, il n'est rebuté par aucune audace. C'est sans aucun doute auprès de Genuys que Guimard se forme à la pratique d'architecture. Genuys que lui des théories Duc (1814-1879), cessera de se de tous les styles C'est aussi de vient la révélation d'Eugène Viollet-le-dont Guimard ne réclamer tout au long de sa carrière. Il lui doit le principe que l'architecture doit imposer ses lois,

" **M.** Guimard est un élève des plus laborieux, qui a l'amour de la profession qu'il a embrassée. J'ai la confiance qu'il lui fera honneur.» Cette louangeuse appréciation est formulée par Raulin en 1887, elle appuie la demande d'avance de fonds (à droite) qui permettrait à Guimard, en tant qu'élève d'une grande école, de financer son volontariat militaire d'un an – au lieu d'un service de cinq ans – à condition de payer l'équipement qui revient à 1 500 francs. Guimard n'obtient pas le prêt : d'autres élèves, plus nécessiteux, lui sont préférés. La plupart en effet devaient travailler pour assurer leurs études longues et coûteuses.

Veuillez agréer, Messieurs, l'assurance
de mon profond respect
Hector Guimard
Élève de Messieurs Raulin et Gennys.
Paris, le 15 Juillet 1885

Les dix «logistes», élèves admis à concourir pour le grand prix de Rome – aboutissement de leurs études – sont libérés après avoir passé trois jours enfermés pour préparer leurs projets (ci-dessous).

non seulement à la construction du gros œuvre, mais encore à l'aménagement intérieur, ainsi qu'à la ligne des objets usuels et décoratifs.

«L'art ne peut vivre et se développer que soumis dans son principe et libre dans son expression» (Viollet-le-Duc)

Fort de ses succès, le jeune homme peut aspirer à la «Grande Ecole», l'Ecole nationale des beaux-arts. Les notes obtenues aux deux séries d'épreuves de la session du printemps 1885 se révèlent décevantes par rapport aux brillants résultats antérieurs. Il n'en obtient pas moins le cinquante-deuxième rang des 63 admis – sur 134 candidats. Est-ce parce que Gustave Raulin (1837-1910) est un «ancien» de l'Ecole des arts décoratifs que Guimard décide de s'inscrire dans son atelier? C'est probable.

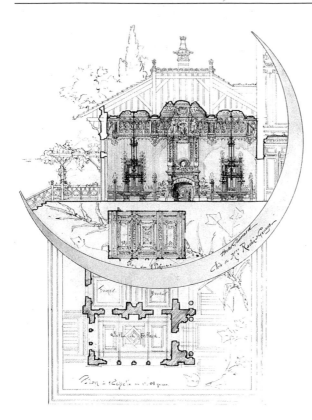

F rantz Jourdain dresse une caricature des concours d'émulation de l'Ecole des beaux-arts auxquels participe Guimard : «Les élèves devaient composer des casinos au bord de la mer, avec des ports pour des gondoles ; des villas entourées de terrasses et de treillis ; des portiques sur des places publiques ; des musées dans des parcs ; des orangeries avec des grottes surmontées de loggias ; des campossantos ; des colonnes rostrales immortalisant des victoires navales gagnées sur les Turcs ; des édifices sans destination spéciale, uniquement dans le but d'orner des îles. Une niaiserie énorme, stupéfiante, se dégageait pareillement des autres sujets, indéfinissables et insexuels, qui auraient pu être imaginés indifféremment dans la lune ou sur la terre.»

Raulin était un tempérament original et Guimard pouvait espérer trouver auprès de lui un enseignement présentant peu de rupture avec le précédent. Il doit rester quatre ans en seconde classe avant de totaliser, en décembre 1889 seulement, les valeurs nécessaires au passage en première classe. Sa scolarité reprend alors un cours plus régulier : il s'attaque à plusieurs reprises aux deux grands concours réservés aux élèves de la première classe, les concours Rougevin et Godebeuf, remportant à ce dernier une première mention en 1890. Il tente en 1892 le grand prix de Rome, mais échoue à la seconde éliminatoire. A partir de 1894, il participe de manière de plus en plus épisodique aux concours de l'Ecole, sans toutefois y renoncer complètement. Il s'y présente jusqu'en avril 1897 preuve qu'il ne désespère pas d'obtenir son diplôme. Le titre de D.P.L.G. (diplômé par le gouvernement) lui échappe : âgé de trente ans, il atteint la limite d'âge au-delà de laquelle il n'est plus permis de se présenter au diplôme.

«J'ai consacré dix années à l'Ecole des beaux-arts et aujourd'hui, à la porte de cette école, j'y brûle mes dernières cartouches, mes trente ans ayant sonné»

Déçu et amer, mais bien trop orgueilleux pour reconnaître son échec, il laisse croire à ses premiers biographes que sa volonté d'indépendance est telle que passer son diplôme aurait été assurément s'abaisser. Il apparaît alors comme l'incarnation du héros de *L'Atelier Chantorel*, roman publié en 1893 par l'architecte et polémiste Frantz Jourdain (1847-1935), qui y pourfend, d'une plume vitriolée, l'enseignement dispensé par l'Ecole des beaux-arts :

P our ce «Monument funéraire pour trois familles, issues d'une même origine, ayant eu pour chefs trois frères qui se seraient illustrés l'un dans la magistrature, le second dans les lettres, et le troisième dans les sciences»(ci-dessous), Guimard obtient une seconde mention en 1891. A gauche, une salle de billard, esquisse de la même année, jugée trop «riche», n'est pas récompensée.

Dorsner, le personnage principal revendique une «construction pratique et luxueuse», cherche à «synthétiser la vie contemporaine», et à «utiliser les découvertes de l'industrie moderne» : c'est bien là le programme que Guimard poursuit tout au long de sa carrière.

«Je sais que votre affection n'est pas seulement pour moi, mais pour l'Ecole qui vous a compté parmi ses meilleurs élèves et ses excellents professeurs»

C'est en ces termes que Louvrier de Lajolais accepte, non sans regret, dans une lettre datée du 22 juillet 1900, la démission de Guimard du poste de professeur qu'il occupait à l'Ecole des arts décoratifs depuis 1891. La fusion en 1890 de l'Ecole des Arts décoratifs avec l'Ecole nationale de dessin pour les jeunes filles, fondée en 1803 et installée rue de Seine, avait nécessité une réorganisation de l'enseignement. A cette occasion Louvrier de Lajolais avait décidé de dédoubler le cours de dessin géométrique et de perspective et

❝ Parlant de lui-même, il raconta qu'il avait eu beaucoup de mal en débutant dans l'architecture, mais qu'enfin, il était parvenu à obtenir les premiers prix, et qu'il avait été nommé professeur. Puis il a ajouté : «J'ai tellement de travail chez moi que ma place n'est pas à l'Ecole et pour vous prouver que je n'y tiens pas du tout c'est que j'ai déjà abandonné l'Ecole des jeunes filles. Pensez donc, leur a-t-il dit, j'avais une soixantaine de jeunes demoiselles après moi, qui me fatiguaient énormément. Et il fallait être fort comme je suis pour pouvoir résister... » [Rapport d'un surveillant]**❞**

de confier la responsabilité de la section des jeunes filles à Guimard qu'il qualifiait dans sa demande de création de poste de «très intelligent, plein d'entrain et en même temps maniable, souple et docile».
Le professeur semble donner toute satisfaction : lorsqu'en 1895, Genuys demande à être déchargé d'une partie de ses cours, Louvrier de Lajolais propose Guimard qui se voit alors nommé, par un arrêté du 9 mars 1896, professeur de perspective à la section des jeunes gens.

Ce nouveau poste, qui coïncide avec une intense activité professionnelle – 1896 est une année décisive pour le Castel Béranger, son premier grand chantier

Suivant les préceptes de Viollet-le-Duc, Guimard combine volontiers matériaux et couleurs : terre cuite émaillée, briques rouges ou émaillées, fer peint, pierre de taille. Ici, le tympan couronnant la porte d'entrée de l'hôtel Jassedé (1893).

qui a débuté à l'automne 1895 –, entraîne une surchage de travail qui nuit rapidement à la qualité de son enseignement. Il présente alors sa démission de la section des jeunes filles, qui est officiellement acceptée en septembre 1898. Mais les choses ne s'arrangent pas pour autant à la section des jeunes gens et, en juillet 1899, Louvrier de Lajolais invite sèchement Guimard «à prendre désormais un peu plus au sérieux les obligations strictes du service auquel sont astreints tous les fonctionnaires de l'Ecole».

Au moment où Eiffel élève la «Tour de trois cents mètres» de l'Exposition universelle, Guimard se livre à des exercices sur le pittoresque : un pavillon abritant les découvertes d'un électrothérapeute.

«J'ai tellement de travail chez moi que ma place n'est pas à l'Ecole»

A la rentrée, la coupe déborde. Le 7 octobre, Guimard injurie un appariteur qui avait libéré les élèves s'impatientant du retard de leur professeur. C'est cependant peu de chose à côté du scandale qui éclate au cours du soir du mardi 7 novembre 1899. Selon le

Composé d'un rez-de-chaussée avec cour ouvrant sur la Seine et d'un premier étage en mezzanine, couvert d'une charpente, avec retour en angle sur un seul côté, le Grand Neptune ne diffère guère des nombreuses guinguettes qui se succèdent sur le quai jusqu'aux fortifications. Dans son roman de 1903, L'*Araignée rouge*, Fabrice Delphi évoque la clientèle douteuse de ce «concert en plein vent, mal abrité par les toiles et les palissades». Le café est finalement emporté par l'inondation de 1910.

Les jeux de bois découpés des toutes premières réalisations de Guimard cèdent la place à un puissant dynamisme et à une fantaisie débridée qui s'exprime tout particulièrement dans les techniques de la serrurerie et de la ferronnerie. Dans ce domaine, il confie la réalisation de ses projets à la serrurerie Balet, dont la grande maîtrise traduit avec une fidélité totale la complexité de son graphisme. Cette double porte de 1896-1897 ouvrait sur la galerie d'exposition de la boutique d'un armurier d'Angers qui en avait confié l'aménagement à Guimard.

rapport d'un surveillant, «Monsieur le professeur Guimard est entré en classe à 9 heures 40. Il a commencé en disant aux élèves qu'il ne venait pas pour faire son cours, mais simplement pour causer avec eux […]. Il demanda la liste des élèves de l'Ecole, qui assistaient aux cours, et critiqua les noms et professions de certains. Il alla même jusqu'à demander à un tapissier ce qu'il venait faire à l'Ecole». Le blâme est sévère. Le 21 juillet 1900 Guimard démissionne et quitte une institution dont il reste, malgré ces incidents, le fils spirituel.

«Quel feu d'artifice, bon dious! Que d'idées, que d'idées, d'intéressantes ou cocasses, dans ce cerveau de véritable artiste!»

Son confrère Léon Bénouville, dans *L'Architecture* du 5 mai 1894, reconnaît déjà le talent du jeune architecte qui a reçu ses deux premières commandes alors qu'il n'était encore qu'élève de deuxième classe à l'Ecole des beaux-arts. En 1888, un limonadier nommé Obenfelder – il est locataire de la famille Grivellé – lui demande la construction au 148 quai d'Auteuil d'un restaurant café-concert, le Grand Neptune tout de bois et de briques. Quant à la seconde commande, elle est, par sa nature même, provisoire, puisqu'il s'agit d'un de ces pavillons dus à l'initiative privée qui fleurissent lors de l'Exposition universelle de 1889. Modeste par le choix des matériaux – bois et céramique –, banal par le traditionnel mélange des styles néo-gothique et orientaliste, agrémenté d'une touche de japonisme dans la découpe de la toiture, le pavillon abrite les découvertes d'un électrothérapeute.

D' Angleterre, Guimard a rapporté des aquarelles ; certains critiques se sont demandés s'il n'avait pas emprunté ses modèles à des revues d'architecture contemporaines.

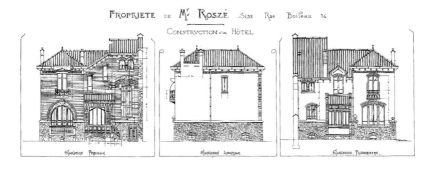

Maison à Uckfield Angleterre

Loin de l'agitation citadine, l'individualisme bourgeois se réfugie dans les villas modernes d'Auteuil

La première œuvre importante date de 1891. C'est un hôtel particulier situé au cœur d'Auteuil, 34 rue Boileau, construit pour Charles-Camille Roszé, un représentant de fabriques de gants de peau, selon la nomenclature de l'almanach-annuaire de commerce

PROPRIETE DE M. ROSZÉ. Sise Rue Boileau 34
CONSTRVCTION D'UN HÔTEL

Élévation Principale.   Élévation Latérale.   Élévation Postérieure.

Didot-Bottin. Même s'il se réfère à la villa classique «à l'italienne», par ses volumes cubiques et ses toits couverts de tuiles à faible pente, l'hôtel Roszé s'impose comme une œuvre personnelle où s'expriment de manière affirmée les orientations de Guimard : volonté d'animer les façades et de traduire à l'extérieur des fonctions spécifiques des espaces internes en variant matériaux, volumes et décrochements, en diversifiant la forme et les dimensions des ouvertures.

Deux ans plus tard un second projet important témoigne de son désir encore plus vif de sortir de la convention. Il s'agit d'une villa à l'angle de la rue du Point-du-Jour et de la villa de la Réunion (aujourd'hui 41 rue Chardon-Lagache). Le rejet de la symétrie classique se fait plus violent ; la rupture des volumes plus agressive, plus complexe aussi, surtout au niveau des toitures. Le pittoresque des façades, combinant

En dépit de leur caractère un peu désinvolte, les premières maisons construites par Guimard reçoivent un accueil plutôt favorable, comme en témoigne un jugement de l'époque : «Pourquoi employer tous les matériaux de la création en salade russe ? Les détails brillants de la composition ne sont pas mis en valeur, parce que ce qui les entoure manque de calme [...]. M. Guimard pardonnera ces critiques, car il sait qu'on ne critique que ce qui a de la valeur.» A gauche, l'hôtel Roszé ; ci-contre l'hôtel Jassedé.

pierre, brique, meulière et crépis, ne présente guère d'affinités avec l'architecture vernaculaire anglaise, souvent citée à l'époque comme un modèle d'«honnêteté» architecturale : Guimard n'aura réellement l'occasion de la découvrir qu'au cours d'un voyage d'étude en 1894. A cet égard, l'hôtel Jassedé atteint un paroxysme qui, à première vue, pourrait être pris pour du désordre. Un examen attentif révèle cependant que le choix du matériau n'est jamais gratuit ; il définit un volume ou souligne un axe. Il en est de même de la couleur, présente sous la forme de briques, terres-cuites et grès émaillés, exécutés par la maison Muller, d'après des modèles dessinés par Guimard lui-même ; elle attire l'attention sur certains points essentiels de la structure du bâtiment. L'hôtel Jassedé apparaît aussi comme le terrain d'expériences nouvelles et décisives, notamment par la conception d'un mobilier en accord avec son architecture. Des dessins de sièges nous sont parvenus ; ils sont caractérisés par un piètement en porte-à-faux, directement hérité d'un principe cher à Viollet-le-Duc.

«Y a-t-il quelqu'un qui ignore Viollet-le-Duc à l'heure actuelle ? Cela est impossible !»

Si Guimard n'a pas connu Viollet-le-Duc, décédé en 1879 alors que le jeune Hector n'a encore que douze

" Supposons qu'on ait à élever une grande salle de réunion au dessus d'un marché couvert.[...] Sur des dés en pierre bien fondés, séparés suivant la largeur à donner à chaque travée, nous posons des colonnes en fonte inclinées à 60°. Les chapiteaux de ces colonnes sont réunis par les poutres en tôle transversales recevant des solives en fer, sur lesquelles on bande des voutins en briques [planche ci-contre]. "
Viollet-le-Duc,
Douzième Entretien sur l'architecture.

ans, c'est assurément un lecteur assidu de ses *Entretiens sur l'Architecture* (1863-1872); il en a étudié aussi bien les textes que les planches.

L'une des planches des *Entretiens* propose une solution de marché couvert, qui se révèle l'inspiratrice directe du projet que demande à Guimard la Société des immeubles propres à l'éducation et à la récréation de la jeunesse, pour un bâtiment destiné à l'instruction religieuse de cent cinquante garçons des écoles laïques. Ce sera l'école du Sacré-Cœur de l'avenue de La Frillière. Le terrain est étroit, pour gagner de la place, l'architecte évide totalement le rez-de-chaussée afin d'y installer un préau. Le porte-à-faux ainsi créé est soutenu par une poutre à double T, portée dans la partie centrale par deux paires de poteaux en fonte inclinés, réunis à leur base sur un socle de pierre, et aux extrémités par deux colonnettes biaises faisant office de consoles. Lorsqu'il dresse les plans de l'école du Sacré-Cœur, en janvier-février 1895, Guimard achève le premier projet de ce qui va se révéler être l'étape décisive de sa carrière : le Castel Béranger.

La structure adoptée par Guimard pour l'école du Sacré-Cœur en 1895 n'est pas originale, elle a été imaginée par Viollet-le-Duc plus de vingt ans avant. Mais la nouveauté vient du modelé des colonnes exprimant toute la tension de leur effort.

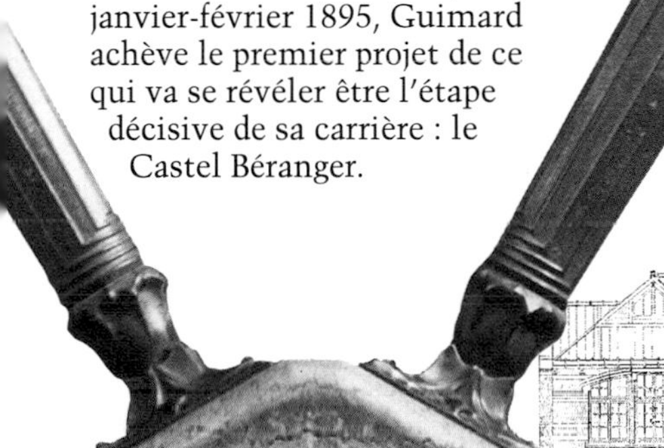

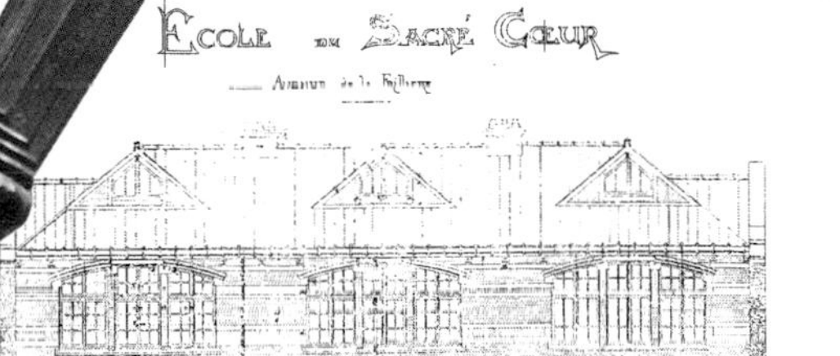

ÉCOLE DU SACRÉ CŒUR

Avenue de la Frillière

La célébrité de Guimard date du jour où il construit le Castel Béranger. En concevant et en dirigeant tout de ce vaste immeuble de rapport, depuis la maçonnerie et la sculpture jusqu'au moindre détail ornemental de chaque appartement, il fait revivre la notion de «maître d'œuvre». La diversité des formes et des matériaux, tant à l'extérieur qu'à l'intérieur, introduit un souffle de gaieté et de jeunesse dans le paysage parisien.

CHAPITRE II
LE CASTEL BÉRANGER

Le «Castel» doit son nom au hameau Béranger, petite voie privée sur laquelle donne une aile de l'immeuble.

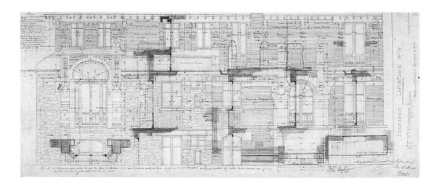

Le 16 septembre 1895, une autorisation préfectorale est délivrée à Elisabeth Fournier – veuve de soixante ans appartenant à la bourgeoisie catholique d'Auteuil – et à son architecte, Hector Guimard, pour la construction, au 14 rue La Fontaine, de trois bâtiments d'habitation.

Carte blanche !

Le gros œuvre débute immédiatement. En décembre 1896, il est pratiquement achevé. L'aménagement et le décor des appartements : pâtisseries, lambris en lincrusta-walton, papiers peints, cheminées, éléments de quincaillerie ont déjà pris place tandis que le décor du vestibule, les foyers des cheminées, les vitraux et les revêtements muraux des cages d'escaliers restent en cours d'étude. Fait intéressant : le décor des façades et celui de l'intérieur sont conçus simultanément. Les profils des principaux encorbellements et les modèles de cheminées par exemple, ont été dessinés au printemps 1896 ; les ornements des façades au niveau des ateliers d'artistes, mais aussi les couronnements de porte des antichambres et des salles à manger, voient le jour au cours de l'été.

Dès le printemps 1897, avant que l'immeuble ne soit totalement achevé, vingt-cinq appartements sur trente-six sont loués. Un tel succès récompense la propriétaire de la confiance qu'elle avait accordée à Guimard. Elle lui avait laissé carte blanche, posant comme seule condition l'assurance d'une rémunération fixe du capital engagé, étant entendu que les loyers annuels s'échelonneraient de 700 à 1 500 francs. Le placement s'avère excellent, puisqu'il rapporte cinq pour cent à une époque de grande stabilité monétaire.

Parmi les locataires de la première heure figure le peintre Paul Signac (1863-1935) qui, de l'atelier et de l'appartement qu'il occupe au sixième étage, se

Le 28 mars 1899, le Castel Béranger est primé au premier concours de façades institué par la Ville de Paris dans la louable intention de lutter contre la monotonie des rues. La propriétaire, Madame Fournier est de ce fait exonérée de la moitié du versement des droits de voirie.

réjouit des réactions des badauds : «Les passants béent, des groupes chevelus discutent, les cyclistes se lèvent, les automobilistes s'arrêtent et lorsque le régiment défile, le colonel massivement se retourne et se congestionne.»

«La grande ombre de Viollet-le-Duc souriait devant l'œuvre de Guimard comme le bon aïeul sourit à l'enfant issu de son sang, de son cerveau et de son cœur»

Indéniablement, le Castel Béranger apparaît comme l'une des applications les plus poussées des principes préconisés par Viollet-le-Duc. En sont totalement exclues la planéité et la symétrie, condamnées par le théoricien en raison de leur caractère mensonger : «La symétrie n'est nullement une condition de l'art, comme plusieurs personnes affectent de le croire; c'est une habitude des yeux, pas autre chose» (*Habitations modernes*, 1877).

Exprimées par des projections, des retraits, des saillies, les articulations des façades se révèlent non seulement d'une lecture aisée, mais expriment aussi le strict rapport qui existe entre elles et l'agencement intérieur. Par exemple, les salles à manger sont élargies par des bow-windows, les cabinets de toilette

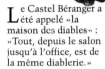

Le Castel Béranger a été appelé «la maison des diables» : «Tout, depuis le salon jusqu'à l'office, est de la même diablerie.»

Tandis que s'industrialisent les quartiers environnants de Billancourt, Javel et Grenelle, Auteuil demeure un lieu de villégiature : ci-dessous, le hameau Boileau.

engendrent des encorbellements, les montées d'escaliers sont immédiatement repérables à la forme et à la disposition décalée des fenêtres. De manière générale, systématique pourrait-on dire, dessin et dimensions des ouvertures traduisent une hiérarchie, tempérée par le jeu coloré des matériaux.

La rigidité et l'uniformité des alignements haussmanniens sont jugées insupportables. Volume des toitures libéré depuis 1884, variété dans le rythme et la forme des ouvertures, usage du bow-window autorisé par le règlement de 1893, et innovation ornementale permettent de libérer le langage architectural.

A ces principes esthétiques s'ajoutent des principes économiques. Guimard n'a en effet à aucun moment perdu de vue le fait qu'il construit un immeuble à loyers modérés. Aussi la pierre de taille, indispensable mais onéreuse, ne peut qu'avoir une place restreinte ; elle assure la construction des parties du gros œuvre qui ont le plus besoin de résistance : soubassements, bandeaux, arcs, consoles, sommiers, corbeaux, encorbellements. Elle est plus largement dispensée sur la façade principale, là où se portent les regards. En revanche, la meulière, d'un coût peu élevé, est réservée au bâtiment en retour sur le hameau et aux façades sur cour. Quant à la brique rouge, grise ou émaillée de tons verts, bleus et roses, elle apparaît là où sa présence ne nuit pas à la solidité de l'édifice, c'est-à-dire dans les ailes qui offrent le plus de légèreté : parties hautes et avant-corps, murs des vérandas et bow-windows.

Dans l'esprit des principes de Viollet-le-Duc, couleur et variété des matériaux participent à la traduction des multiples articulations des façades. Le désir d'économie joint à la volonté de ne rien dissimuler des nécessités de la construction amènent aussi Guimard à renoncer, à l'intérieur, au plâtre recouvrant les plafonds : les hourdis, barrés de poutrelles métalliques qui les soutiennent, sont

Guimard s'est-il représenté dans les masques ironiques des balcons (ci-dessous) ?

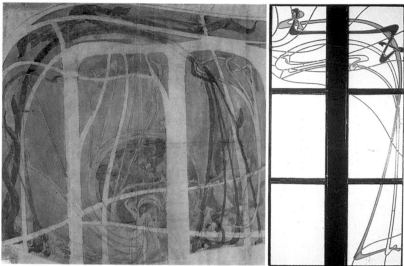

laissés apparents, et la structure métallique acquiert une valeur décorative. Et de fait il règne à l'intérieur une toute aussi grande variété qu'à l'extérieur. Ce que les appartements ont en commun, c'est le soin avec lequel la distribution des pièces a été étudiée. Ils témoignent d'une préoccupation essentielle de l'architecte : celle de ne pas perdre de place et d'assurer des conditions optimales d'aération et d'éclairage. Par conséquent, point de longs couloirs étroits, point de coins noirs. Autour ou le long d'une antichambre, qui, dans certains appartements, offre un spectaculaire dégagement, sont groupées ou s'ouvrent les pièces qui communiquent entre elles sans toutefois se commander. La séquence cuisine-office-salle à manger – cette dernière constitue à l'époque la pièce de séjour principale des classes moyennes – est particulièrement bien conçue et apparaît comme une autre application des conseils de Viollet-le-Duc, en particulier ceux de l'*Histoire d'une maison* (1873). Certes les pièces ne sont pas très grandes, exception faite de certaines salles à manger traitées en jardin d'hiver et dans lesquelles le mur de refend a été supprimé et remplacé par des colonnettes de fonte; il n'y a pas de véritables

A l'intérieur, l'esprit de Guimard se retrouve aussi bien dans le traitement graphique et rythmé des vitraux (ci-dessus) que dans le modelé sculptural des pitons des tringles de tapis des escaliers (ci-dessous).

salles de bains, mais d'étroits cabinets de toilette, dont meubles et robinetterie ont été dessinés par Guimard. Et dans aucune des cages d'escalier il n'y a d'ascenseur pour desservir les étages. Le Castel Béranger n'en apparaît pas moins comme l'œuvre d'un rationaliste, comme le fruit d'un esprit critique et logique constamment en éveil et que rien ne vient distraire. L'agencement des articulations et les assemblages des volumes, le choix judicieux des matériaux en ont fait une création que les critiques qualifiés – au premier rang desquels l'architecte Louis-Charles Boileau (1837-1914), généralement peu indulgent à l'égard des disciples de Viollet-le-Duc – s'accordent à considérer comme une solution originale, convaincante et sympathique au problème économique et social de l'habitation salubre et à relatif bon marché.

«Non seulement Guimard s'inspirait ouvertement de mon architecture, mais il adoptait jusqu'aux figures verbales de mes conversations qu'il accompagnait de mes gestes» (Victor Horta)

Au printemps 1895, l'architecte-décorateur Gustave Serrurier-Bovy (1858-1910) invite Guimard à participer à une exposition organisée par le groupe qu'il a fondé à Liège et qui a pour nom L'Œuvre artistique. Guimard y envoie des aquarelles et des photographies représentant l'hôtel Roszé et la villa Jassedé, aussi bien de l'extérieur que de l'intérieur. Lui-même se rend en Belgique. A Liège, l'important envoi du groupe de Glasgow, mené par Charles Rennie Mackintosh (1868-1928), requiert certainement son attention et, à Bruxelles, il éprouve un véritable choc devant les réalisations de Victor Horta (1861-1947) : les hôtels Frison, Winssinger et surtout Tassel. De cette double rencontre, de l'homme et de l'œuvre, Guimard comprend immédiatement qu'il y a entre lui et son collègue

Deux Architectes belges, Horta et Hankar, influencent Guimard. A la différence de Horta, Hankar ne cherche pas à intégrer les différents éléments de la façade, mais insiste sur leurs oppositions.

belge une profonde communauté de recherche – née en grande partie de la lecture approfondie de Viollet-le-Duc –, mais il saisit aussi combien son aîné est en avance sur lui. En avance tant dans la fusion du contenant et du contenu que dans l'affirmation de son individualité de créateur. L'une et l'autre résultent de la conception et de la mise au point d'un langage formel à la fois cohérent et spécifique. Mais les conséquences sur le développement du Castel Béranger ne sauraient être surestimées. L'ossature de l'immeuble n'est en rien modifiée et le gros œuvre ne bouge pas par rapport aux plans déposés en juin 1895, avant le voyage en Belgique. En revanche, les sages

ℳℌ 1895

—

Exposition d'Art appliqué

CATALOGUE

L'Œuvre Artistique

G uimard va élaborer son propre langage en conférant à la ligne, comme Horta, une valeur hautement expressive. Ici, la cage d'escalier de l'hôtel Tassel, construit par Horta, et que Guimard a vu à Bruxelles en 1895. Il est probable que la source de cette nouvelle écriture décorative ait été pour lui la célèbre exclamation de Horta : «Ce n'est pas la fleur, moi que j'aime à prendre comme élément de décor, mais la tige!»

motifs de ferronnerie suggérés sur les élévations du printemps 1895, motifs se situant dans la lignée du répertoire de l'hôtel Jassedé, se transforment en vigoureuses lanières. Si, à certains points précis de l'édifice – support de l'auvent marquant l'entrée de l'agence de l'architecte, armature métallique du vestibule, support des éclairages des parties communes, loggia d'angle du deuxième étage, poutrelles du balcon du quatrième étage –, Guimard se montre très proche des exemples proposés par Horta, il n'en parvient pas moins à une rapide interprétation toute personnelle de la ligne «belge». La célèbre porte d'entrée, la grille sur le hameau, la porte de la cabine téléphonique, le décor des vitraux, les mosaïques, la tôle découpée des pavillons de jalousie présentent un mode de composition qui ne trouve aucun équivalent dans l'œuvre de Horta. La ligne de Guimard n'offre pas les sinuosités cycliques de celle de Horta. Au contraire, le Français maintient les tracés verticaux, donnant une impression de jaillissante vitalité, et les fait soudainement dévier, tout en les enveloppant et en les contrariant par un jeu de courbes plus ou moins longues, aboutissant ainsi à d'audacieuses ruptures d'équilibre.

Si la connaissance des créations de Horta est décisive, c'est moins par l'usage qu'elles font de la ligne courbe que par la volonté qu'elles expriment de faire de l'architecte le seul et unique concepteur d'un

Guimard installe son agence au rez-de-chaussée du Castel ; on le voit ici dans la cour. Il conçoit avec un soin particulier le décor et l'ameublement de son propre bureau (à gauche), qui apparaît comme une auto-illustration destinée à séduire d'éventuels clients.

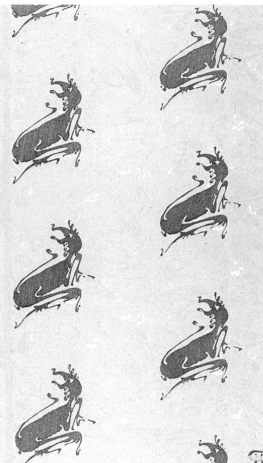

Guimard a lui-même ironisé sur les réactions des locataires désemparés face à ses papiers peints : «Je ne sais pas... c'est ce papier... il me produit un drôle d'effet...»

Le mur de séparation entre l'escalier principal et l'escalier de service est constitué de briques de verre creuses et diversement colorées, un procédé mis au point en 1886 par l'ingénieur suisse Gustave Falconier. Guimard n'est pas le seul architecte à l'employer : Louis Bonnier l'utilise en 1895 pour la galerie de Siegfried Bing, et Charles Plumet en 1896 pour un hôtel particulier avenue Malakoff.

univers architectural et plastique spécifique : aussi les années 1896-1897 sont-elles entièrement consacrées à l'élaboration des différents modèles de serrurerie, de quincaillerie, des revêtements des sols et des murs destinés à l'équipement et à l'ornementation des parties communes et des appartements.

«L'Art dans l'habitation moderne, le Castel Béranger, œuvre de Hector Guimard»

C'est le titre même de la somptueuse monographie, rêvée par Guimard dès 1896, et qui paraît en novembre 1898, avec un luxe inouï, dont on ne trouve à l'époque aucun équivalent, atteint grâce à l'entente parfaite entre l'architecte et l'éditeur Georges d'Hostingue, tous deux animés d'un même souci de perfection. Lorsque le 4 avril 1899 s'ouvre dans les salons du Figaro une exposition consacrée au Castel Béranger, Guimard prononce une conférence et dispose des planches de l'album pour illustrer ses propos. Elles font prendre conscience, en reproduisant l'ensemble dans ses moindres détails, de la somme de travail fournie par l'architecte et permettent de suivre son omniprésente pensée créatrice. De plus, elles constituent un bon moyen de diffusion de ses productions décoratives, habilement reproduites. Il y montre des détails, isolés de leur contexte, et surtout quelques meubles et objets, de conception contemporaine, mais qui ne sont pas destinés au Castel lui-même. L'album peut en fait se lire comme

Guimard connaît les nouveaux produits de l'industrie, présentés lors d'expositions spécialisées (ci-dessous, le Salon de l'industrie). Le lincrusta-walton (en haut à droite), dérivé du linoléum, est mis en œuvre comme lambris dans les salles à manger du Castel.

un catalogue de modèles originaux susceptibles de retenir l'attention des gens du métier ou de commanditaires potentiels.

Nul ne peut nier qu'une esthétique toute personnelle est bel et bien née. Mais le luxe de la publication et le battage qu'elle suscite irritent. Louvrier de Lajolais, à qui Guimard inspirait depuis quinze ans une réelle sympathie, ne peut lui-même s'empêcher d'y voir une opération publicitaire bien orchestrée que sa probité naturelle condamne : «Tu fais une campagne que je déplore, parce qu'elle excède la mesure de ta dignité et finira par compromettre ton talent jeune, audacieux, qui mérite l'attention et n'exige pas que tu lui sacrifies la modestie de l'artiste vraiment convaincu [...]. Travaille donc en silence et contente-toi de l'estime de toi-même.» Guimard invoque en réponse les intérêts de son éditeur et de sa cliente.

l'album «Castel Béranger»

L es soixante-cinq planches de l'album consacré au Castel Béranger sont reproduites par un procédé d'héliogravure, selon une technique qui a piqué la curiosité des critiques : «C'est évidemment obtenu au moyen de reproductions photographiques. Mais comment celles-ci sont-elles teintées? Est-ce par des tirages successifs des couleurs? Certaines parties sont-elles retouchées à la main avec des tons de gouache? Comment y appose-t-on des applications métalliques? Ce dont je suis le plus sûr, c'est que l'architecte a dû colorier une première épreuve de chaque planche, ajouter çà et là un trait de tire-ligne lorsqu'il fallait accentuer une silhouette, ailleurs adoucir une ombre, bref, donner presqu'autant de sa personne dans le rendu des détails de sa maison que dans leur composition, et encore qu'il lui a fallu par dessus le marché être secondé par des collaborateurs qui soient eux-mêmes des artistes dans leurs spécialités.»

un peintre au Castel

Le sixième étage du Castel est aménagé en ateliers d'artistes. Dès le printemps 1897, le peintre Signac jette son dévolu sur l'un d'eux : « Évidemment il y a des choses ratées et de mauvais goût, des fautes et des erreurs... c'est trop criard, trop clair, trop mirobolant, mais avec des tas d'installations très pratiques... » Les réticences de Signac devant le vocabulaire ornemental de Guimard s'évanouissent rapidement. En décembre 1897, il confie à son journal : « J'apprécie de plus en plus le charme de notre maison neuve, gaie et claire ! Je me soucie peu des zigzags de l'architecte Guimard ! J'ai un bel atelier, du recul, un appartement joyeux, et des tas de commodités, téléphone, salle de douches, eau dans l'atelier... »

Guimard dissimule cependant mal son orgueilleuse conviction de s'être hissé, par la réalisation du Castel Béranger, au rang de premier architecte «moderne» de son temps.

L'art nouveau en Europe

Guimard est loin d'être le seul à manifester sa volonté d'un style radicalement neuf. En décembre 1895, le marchand Siegfried Bing avait ouvert rue de Provence sa célèbre galerie à l'enseigne de l'Art nouveau. La Belgique avec Victor Horta (1861-1947) et Paul Hankar (1859-1901) a déjà présenté de brillantes et convaincantes réalisations. Lorsque s'achève le Castel Béranger, Charles Rennie Mackintosh (1868-1928) à Glasgow, Josef Hoffmann (1870-1956) et Otto Wagner (1841-1918) à Vienne conçoivent les premiers ensembles art nouveau de tendance essentiellement géométrique. Par ailleurs, la lutte menée, dès les années 1850, par les théoriciens et les penseurs en vue de l'abolition de la division entre arts majeurs et arts mineurs, au profit du principe de l'unité de l'art, a aussi porté ses fruits. Ainsi bon nombre de créateurs, issus des arts majeurs, ont-ils abandonné leur activité première – peinture ou sculpture – pour consacrer leur talent à la rénovation des «arts domestiques», tel est le cas de Henry Van de Velde (1863-1957) en Belgique, de Richard Riemerschmid (1868-1957) et

L'Art nouveau connaît des réalisations spectaculaires, comme la casa Battlò de Gaudi à Barcelone (ci-dessus); au même moment, Guimard reprend pour un de ses clients le projet du château de Chavaudon, où le vocabulaire néo-gothique des années 1890 se marie au béton.

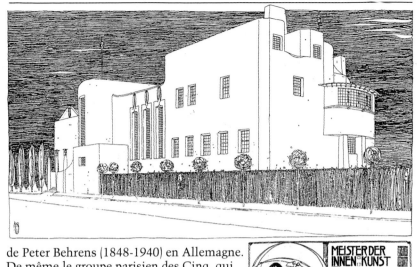

de Peter Behrens (1848-1940) en Allemagne. De même le groupe parisien des Cinq, qui présente en décembre 1896 sa première exposition «d'objets destinés à servir, d'objets usuels, d'utilité courante qui soient des œuvres d'art», se compose du peintre Félix Auber (1866-1940); de trois sculpteurs, Alexandre Charpentier (1856-1909), Jean Dampt (1854-1945), Henry Nocq (né en 1862); et de l'architecte Charles Plumet (1861-1928).

L'idée du groupe de créateurs mettant en commun leurs talents en vue de l'élaboration d'un style harmonieux est d'ailleurs caractéristique de l'Art nouveau. C'est en grande partie un héritage des Arts and Crafts de William Morris (1834-1896). Les groupes de Munich, Darmstadt et Vienne se réclament ouvertement de l'exemple anglais. Tous poursuivent l'œuvre d'art totale, où l'art et la vie, l'artiste et l'artisan, la maison et son décor ne font plus qu'un. Mais à l'inverse de Morris qui ne cesse de pleurer des temps révolus, l'Art nouveau accepte le présent, et veut dans la mesure du possible le rendre meilleur en utilisant les moyens proposés par la science moderne.

M ackintosch, en pleine maturité, use de la ligne droite autant que de la courbe, du carré aussi bien que de la rosace, du blanc comme du noir.

De 1898 à 1900, chaque nouvelle entreprise menée par Guimard aboutit à des solutions dont la virtuosité satisfait l'idéal le plus cher à l'Art nouveau : la fusion de la structure et du décor. En effet, dans toutes les réalisations de cette époque, la plastique formelle de son architecture ne cesse de se nourrir d'expériences dans les domaines du dessin et du modelage. Aussi n'hésite-t-il pas à s'intituler, de manière provocante, «architecte d'art».

CHAPITRE III
L'ART NOUVEAU
PERSONNIFIÉ

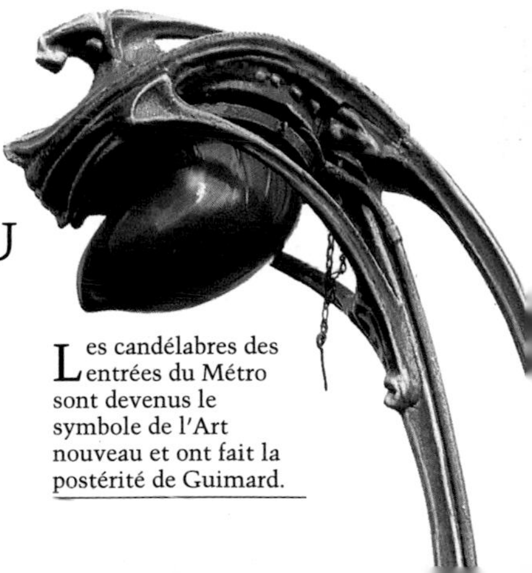

Les candélabres des entrées du Métro sont devenus le symbole de l'Art nouveau et ont fait la postérité de Guimard.

Dans la maison que Guimard conçoit pour le négociant Coilliot à Lille, la lave, simplement équarrie, est utilisée en bossages au premier niveau de la façade ; émaillée, elle constitue l'enseigne de la boutique, dont les caractères ont été aussi dessinés par Guimard. Elle entre également dans la composition des meubles et cheminées, en introduisant, par son aspect luisant et glacé ou granuleux, de saisissants contrastes avec la couleur chaude des membrures tentaculaires en acajou.

Les capacités inventives dont fait preuve Guimard sont d'autant plus époustouflantes qu'elles explorent une typologie extrêmement variée. Mais le temps n'a guère épargné cet audacieux et lyrique souffle de jeunesse. Quelques années après son inauguration, la salle Humbert de Romans sera démolie, la villa de Garches défigurée par les transformations que le rationalisme un peu borné des années trente lui fera subir, la gare de la Bastille définitivement démantelée en 1962, et le Castel Henriette finalement livré aux démolisseurs en 1969.

Seules rescapées : la maison Coilliot à Lille et la Bluette à Hermanville

De nature très différente puisqu'il s'agit, dans un cas, d'une construction s'insérant dans un tissu urbain très serré, et, dans l'autre, d'une villa balnéaire, ces deux

Depuis le second Empire, la vogue des bains de mer a suscité le développement des stations balnéaires normandes, les plus proches de Paris par le train. Le caractère «maritime» de la Bluette (ci-dessous), à Hermanville dans le Calvados, commande des fidèles Grivellé, s'affiche dans la maçonnerie par l'emploi de coquillages et de galets d'Etretat, ainsi que par les colombages de bois peints en bleu.

édifices ont cependant plus d'un point en commun. Tout d'abord Guimard y a déployé ses talents d'homme-orchestre en concevant, dans la lignée du Castel Béranger, un décor intérieur et un mobilier originaux en rapport étroit avec la spécificité de l'architecture, avec les plans et volumes des pièces. Par ailleurs, dans l'un et l'autre cas, le choix des matériaux participe à la caractérisation, fortement accentuée, du bâtiment qui se révèle en accord avec son environnement géographique et le mode de vie de ses occupants.

Ainsi la maison Coilliot apparaît-elle comme un hymne à la lave Gillet, que commercialisait Louis Coilliot, négociant en céramique; la Bluette affiche son caractère «maritime». Ce qui frappe dans ces exemples, c'est le jeu qui s'établit entre chaque élément fortement individualisé et

Les cheminées sont assurément les éléments du décor fixe auxquels Guimard a prêté le plus d'attention. Dès le Castel Béranger, il en imagine plusieurs modèles dans des matériaux divers : marbre, fonte, ou grès. Certaines cheminées sont spécialement étudiées, comme ici une cheminée de la maison Coilliot, en marbre et lave émaillée. D'autres modèles sont destinés à la diffusion : en 1907, le catalogue des Fonderies de Saint-Dizier consacre plusieurs planches aux articles de fumisterie dessinés par Guimard; quatre types de cheminées y sont représentés, avec leurs accessoires, chenets, grilles à charbon et poignées de rideau.

le rythme général de la construction. La lutte, ou plus exactement le dialogue, entre symétrie et asymétrie aboutit, dans la maison Coilliot, à une tension provocatrice tout à fait originale. Le vide, né du retrait des niveaux supérieurs, est structuré par un immense arc brisé délimitant un espace couvert aménagé en loggias. Or cet arc néo-gothique, qui donne à la façade son élan vertical et en constitue l'ornement principal, est barré en son centre par un balcon au garde-corps japonisant et cassé dans sa symétrie par le pilastre jaillissant de la partie supérieure du rez-de-chaussée, dans le prolongement du mur séparant la porte d'entrée de la vitrine. La notion de façade est littéralement détruite.

Les «castels» : onirisme des formes et rationalisme des plans

Leur plastique architecturale apparaît encore plus complexe, plus troublante aussi, dans la mesure où les articulations sont évidemment plus nombreuses. Le premier constat, c'est l'individualisation de chaque

Jamais la diversité de la création de Guimard n'a été aussi grande qu'autour de 1900. A l'Exposition universelle, il présente aussi bien des papiers peints que des détails de décor intérieur (à gauche), et aborde un domaine original : la parfumerie. Il conçoit dans son intégralité le stand de la maison Millot, jusqu'aux flacons, écrins, boîtes à savon et à poudre de riz, dont il dessine même les étiquettes.

Le Style Guimard
Castel Henriette
à Sèvres

art nouveau

Avant d'être livré, en 1969, aux démolisseurs, le Castel Henriette avait, par son caractère fantaisiste, séduit plus d'un cinéaste, bien qu'il fût déjà privé de son belvédère qui s'écroula peu de temps après sa construction. Il a servi de décor de tournage pour *La Ronde* de Vadim, et *What's New Pussy Cat* de Clive Donner, entre autres.

façade. Le nombre des ouvertures, leurs formes, leur répartition par niveau sont, d'une façade à l'autre, totalement différents. L'animation vient aussi des décrochements qui abolissent toute répétition. Cependant une telle richesse ne nuit en rien à l'unité de la dynamique et les façades s'imbriquent de manière continue, grâce notamment aux balcons qui ceinturent les différents niveaux.

C'est au Castel Henriette, à Sèvres, que culmine ce mouvement giratoire. Le regard est contraint

L e Castel Henriette présentait une opposition très marquée entre le côté rue, relativement fermé, et le côté jardin, percé de nombreuses baies, protégées par des entrelacs de grilles. Cette réjouissante maison de conte de fées avait été commandée en 1899 par une riche veuve de plus de soixante ans, Henriette Hefty. Malheureusement la vieille dame, que l'on aperçoit ici, radieuse, sur son étourdissant chemin de ronde, ne devait guère en profiter, puisqu'elle mourut en 1907.

d'emprunter les spirales ascendantes de l'élévation générale, dues au parti qui consiste à placer l'entrée à l'angle d'une structure orthogonale.

A l'intérieur règne une même effervescence. L'impression première de désordre s'efface devant un examen attentif. En effet, à partir d'un axe décentré constitué par la tour et la cage d'escalier, les espaces se dilatent avec une logique et une autonomie comparables à celles d'un réseau cristallin. Pour épouser ce mouvement continu qui engendre des parois convexes et concaves, des angles aigus et obtus, Guimard conçoit un décor spécifique : sol en mosaïque, revêtement en pierre de verre des murs de la salle de bains, fabriqués spécialement, et jusqu'à la plaque portant le nom de la maison, en lave émaillée. Le mobilier, quant à lui, est, selon l'habitude de l'architecte, en parfaite harmonie avec l'ensemble. L'obsession du détail l'a peut-être amené à négliger la stabilité de l'édifice : le «Campanile» s'effondre quelques années plus tard.

«La musique religieuse dans l'Art nouveau, c'est l'archevêque qui se costume en Loïe Fuller»

"L'Archimède de l'Art nouveau avait trouvé l'Idée du moine pour mettre son Bâtiment autour."

La salle Humbert de Romans est l'œuvre la plus impressionnante de Guimard, puisqu'il s'agissait de la plus grande salle de concerts de Paris après celle du Trocadéro : elle pouvait contenir, aux dires des uns et des autres, entre 1 200 et 2 000 spectateurs.

L'instigateur du projet, le révérend père Lavy, avait fondé en 1897 le patronage Saint-Dominique, ainsi qu'une école de chant dont le but était de former de jeunes chanteurs pour les diverses maîtrises paroissiales. Il fait la connaissance de Guimard au cours d'un dîner donné en 1901 par une cliente de l'architecte, la veuve du sculpteur Carpeaux. Un journaliste malintentionné rapporte l'entrevue : «L'Eglise, représentée par le père Lavy, rencontra l'Art nouveau dans la personne de M. Guimard. Les deux hommes nourrissaient chacun, dans le secret de leur cœur, des ambitions inapaisées. Le dominicain, symphoniste érudit, voulait opposer la majesté du plain-chant aux piailleries de l'instrumentation moderne, et fournir à tous les Wagners inconnus de l'harmonie chrétienne le moyen d'orchestrer la gloire de Dieu. M. Guimard, par contre, portait, comme

Des piles s'élance une charpente de fer et d'acajou laissée apparente, dont les arêtiers soutiennent un lanterneau carré qui répand une belle lumière zénithale. La scène de la salle Humbert de Romans peut accueillir cent musiciens et cent vingt choristes, devant un grand orgue de quarante-deux jeux à trois claviers, construit par la maison Abbey de Versailles, qui bénéficie des conseils autorisés de Camille Saint-Saëns. Peut-être le musicien en prodigue-t-il de non moins précieux pour l'acoustique dont la qualité est unanimement reconnue par la presse spécialisée. Après l'exil de son commanditaire, la salle est mise aux enchères en mars 1904, puis détruite quelque temps après.

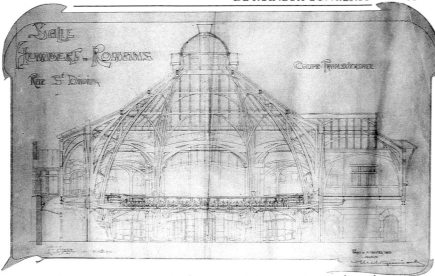

tout architecte, un monument dans ses méninges.»
L'inauguration de la salle est prévue pour mars 1900,
avec au programme, pour la première fois à Paris,
l'audition de *La Passion selon saint Jean* de Bach. Elle
n'aura cependant lieu qu'en novembre 1901 : le
chantier a en effet a été retardé du fait de l'extension
du projet initial, qui prend la forme
d'une gigantesque nef soutenue par
huit piles de maçonnerie délimitant
un octogone.

Les fauteuils,
démontables,
étaient adaptés au
caractère polyvalent de
la salle. Certains ont
été récupérés par un
petit cinéma de la
région de Vézelay.

«L'acoustique du bâtiment est excellente ; elle est très vibrante et sans écho»

Le caractère spectaculaire, dû à
l'épanouissement lyrique et puissant des
ramures de la charpente, à l'aspect aérien
des balcons en porte-à-faux, s'évanouit
totalement à l'extérieur où le bâtiment
retrouve une échelle humaine, dénuée de
toute monumentalité.

Guimard y a appréhendé et résolu les
problèmes spécifiques d'une grande
salle de spectacle «moderne» :

La polémique sur l'Art nouveau atteint son paroxysme à l'occasion de l'Exposition universelle de 1900. L'attaque est menée par une phalange d'écrivains traditionalistes qui ne voient que «gesticulations incohérentes et saugrenues» et ne parlent que de «lombrics et ténias, pseudo-varech et vermicelles affolés». Dans le camp de la défense, on multiplie les arguments techniques. Seuls quelques esprits avisés restent au-dessus de la mêlée et affirment avec sagesse que «lorsqu'un style se forme, rien ne nous en avertit!»

acoustique, visibilité et circulation. Hélas, un mois après l'inauguration, le provincial des dominicains condamne à l'exil le père Lavy. Les difficultés financières liées à la construction de la salle – le coût du chantier s'élève, dit-on, à près de deux millions de francs –, et sa démesure, ont sans doute nui à la réputation de son père spirituel…

1900 : le Métropolitain, édicules et entrées

1900, l'année mirage qui incarne communément la Belle Epoque, est aussi celle où Guimard va littéralement investir le paysage parisien en créant des formes qui, aujourd'hui encore, sont indissociables de l'image de Paris.

L'approche de l'Exposition universelle précipite la réalisation d'un projet maintes fois remis, celui de doter la «ville-lumière» d'un chemin de fer souterrain. Un concours pour l'édification des entrées du Métropolitain est ouvert en août 1899. Cependant, les architectes primés, qui ont repris sans grande originalité le thème du chalet pittoresque, n'obtiennent pas la commande. Fort embarrassé, mais pressé par le temps, le Conseil d'administration de la compagnie accueille favorablement la suggestion de son président, le banquier Adrien Bénard, de confier à Guimard le soin de composer de nouvelles entrées mais demande à l'architecte de soumettre ses dessins

Guimard est souvent tenu pour responsable, par les ennemis de l'Art nouveau, de la mode des arabesques qui envahit à Paris les enseignes commerciales.

le 15 février 1900 au plus tard. Le délai est respecté, ce qui révèle de la part de Guimard une promptitude et une capacité inventive peu communes.

Guimard reprend l'énoncé du concours qui spécifie de concevoir d'une part des entourages munis d'un poteau indicateur, d'autre part trois catégories d'édicules, le type le plus courant se réduisant à une simple descente couverte, les deux autres prenant la forme de véritables petites gares, avec salles d'attente et salle de distribution des billets, respectivement destinées à la place de la Bastille et à la place de l'Etoile.

Les premières difficultés surgissent en 1902, d'ordre essentiellement financier, entre Guimard et la Compagnie du Métropolitain. Un acte judiciaire aboutit à une convention signée le 1er mai 1903. Mais les choses ne s'arrangent guère. En 1904, le projet de placer une entrée de Guimard devant le Palais-Garnier suscite un tollé général, la Compagnie lâche définitivement son architecte. Elle n'en continue pas moins d'utiliser ses entourages jusqu'en 1913, reconnaissant par là-même le génie premier de Guimard qui avait su élaborer une série modulaire et standardisée s'adaptant, par les multiples combinaisons possibles de ses éléments, aux nécessités des divers sites.

Selon l'heureuse formule d'un critique du temps, ce type d'édicule conçu par Guimard évoque « la libellule déployant ses ailes légères ».

A Vienne comme à Paris, la réalisation des stations du Métro revient à un architecte d'avant-garde. Comme Guimard, Otto Wagner veut abolir la séparation entre ingénieur en bâtiment et architecte et reconquérir le terrain perdu par l'artiste. En 1898, il exprimait le souhait « qu'aucune gare [ne] soit réalisée sans avoir été conçue en atelier d'une manière artistique et moderne ». Ci contre, la gare de Karlplatz, encore en place de nos jours.

L'Exposition internationale et le Style Guimard

Est-ce parce qu'il est totalement accaparé par la conception des accès du Métropolitain que Guimard ne peut, selon sa propre déclaration, «faire assez digne figure à l'Exposition» ? Peut-être bien. Mais il faut tenir compte également de l'incroyable inefficacité de l'administration chargée de son organisation, dont pâtissent de nombreux exposants. Si l'Exposition internationale de 1900 est réussie, c'est à coup sûr dans le genre foire. Guimard souhaite cependant y affirmer sa présence ; il avait exposé en 1896 un projet non retrouvé, mais dont une description de l'époque suggère l'ambition ; on pouvait en effet y voir «sur une colline artificielle un ensemble d'édifices, théâtres, restaurants, etc., aux formes spirituelles, que dominait une tour de fer de grande hauteur et d'une forme inédite».

"Y'a qu'des rues qu'on défonce en c'moment dans Paris. Et partout on enfonce, nous s'rons tous engloutis. C'est-y qu'on r'mu' la terre pour niv'ler le terrain ? Mais qu'est-ce qu'on veut donc faire et pourquoi tout ce train ? C'est pour le Métro, Métropoli, tropolitain. C'est pour le Métro, le Métropolitain."
[chanson populaire]

346. PARIS — Station du Métropo

Les gares de Guimard offrent une entrée en fer à cheval, qui rappelle le profil des tunnels du Métro. Les façades sont composées de panneaux de lave enserrés dans des montants de fonte. La couverture, faite de dalles de verre imprimé, également prises dans une armature, donne lieu à de multiples décrochements, d'esprit japonisant; d'où le surnom de «pavillon chinois» vite donné à la gare de la Bastille.

n - Place de la Bastille   C. L. C.

Rappelons aussi que c'est précisément à l'occasion de l'Exposition que Guimard emploie pour la première fois l'expression de Style Guimard.

En réalité sa participation est décevante, modeste et dispersée. A la classe 66, celle de la «décoration fixe des édifices publics et des habitations», il présente sous une forme fragmentée le décor et l'ameublement des diverses pièces composant un appartement; des modèles contemporains du Castel Béranger en côtoient de plus récents en rapport avec la maison Coilliot et le Castel Henriette. La classe des papiers peints, dont Guimard est par ailleurs membre du comité d'installation, réunit les modèles du Castel Béranger et peut-être quelques autres. Curieusement ses réalisations les plus nouvelles se trouvent dans les classes 90 (parfumerie) et 115 (produits pharmaceutiques). Il a en effet conçu la présentation de deux stands, celui du pharmacien Eugène Déjardin et celui de la parfumerie Millot.

«Cet horrible Modern Style qui agonise»

Cette expression péjorative, «Modern Style», attribuée au Style Guimard en 1903, est l'occasion de rappeler que très tôt, avant même qu'il ne se mette à dégénérer dans de médiocres productions, l'Art nouveau s'est vu affublé de sobriquets divers : «style anguille», «style ténia», «style nouille», «style os de mouton» ou «style rastaquouère». Certaines stigmatisations violentes sont appelées à la célébrité, comme celle d'Octave Mirbeau (1850-1917), pourtant défenseur de l'Art moderne : «Tout tourne, se bistourne, se chantourne, se maltourne; tout roule, s'enroule, se déroule, et brusquement s'écroule. Ce ne sont que festons de cuivre verni, qu'astragales de bois

Lors de l'Exposition internationale de l'habitation, au centre de la nef du Grand-Palais, se dresse le pavillon «Style Guimard». Mais une telle marque d'individualisme soulève une nouvelle vague d'hostilités. Aux yeux d'un visiteur, le pavillon apparaît comme le symbole de «cet horrible Modern Style qui agonise».

L'illustrateur de Feure donne l'image d'un «intérieur moderne» (en haut à droite), envahi par la ligne courbe.

Schœllkopf se réclame de la tradition rococo mais introduit habilement dans son architecture des traits empruntés à l'Art nouveau. Pour la chanteuse de cabaret Yvette Guilbert, il imagine un hôtel (ci-dessous) d'un kitsch propre à séduire une bourgeoisie parvenue, soucieuse de son image.

teinté, ellipses de faïence polychrome, volutes de grès flammé, trumeaux de cuir gauffré, frises de nymphéas *hirsutes*, de pavots en colère juchés sur les moulures des stylobates, comme des perroquets sur leur perchoir; des larves plates et minces dorment à l'entrée des serrures; des embryons, des têtards, montent, se glissent en ondulations visqueuses, le long des portes, des fenêtres, des tiroirs, des chanfreins. Les meubles ont l'air d'avoir bu et semblent inviter aux pires excès d'acrobatie.» Des architectes tels que Schœllkopf, Lavirotte et Wagon sont en grande partie responsables du discrédit dans lequel est rapidement tombé l'Art nouveau.

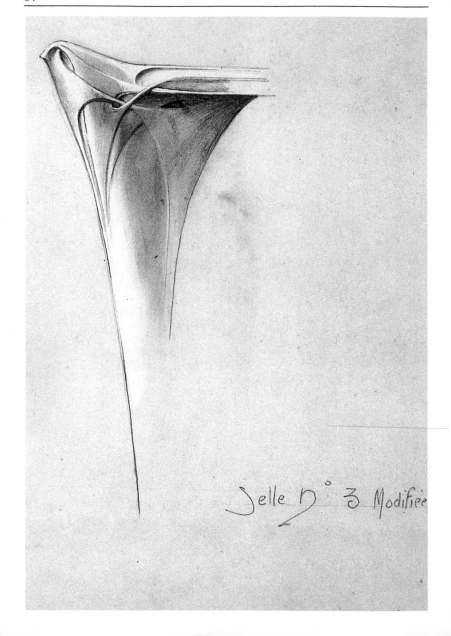

Selle n° 3 Modifiée

La déception des défenseurs de l'Art moderne est immense face au caractère fallacieux de l'Exposition universelle de 1900. De toutes parts, on proclame la faillite de l'Art nouveau. Cette campagne n'entame en rien la veine créatrice de Guimard, qui poursuit logiquement ses recherches en épurant et simplifiant toutefois lignes et volumes : assagissement qui ne signifie ni appauvrissement ni tarissement du génie de l'architecte, mais apparaît comme le fruit de la maturité.

CHAPITRE IV
LA LIGNE ASSAGIE

L'activité de Guimard dessinateur de bijoux se limite à quelques pièces destinées à son épouse, l'artiste-peintre Adeline Oppenheim, dont il imagine aussi en 1909 la toilette de mariée.

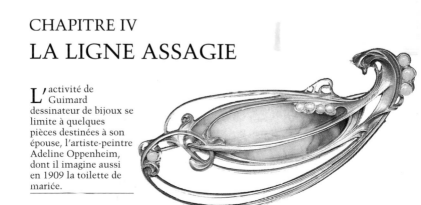

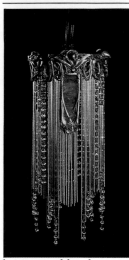

Selon Guimard, son principal devoir est «de créer une demeure appropriée aux besoins de l'homme et un cadre de vie active»; pour lui, la spécificité de chaque programme architectural est fondamentale.

Le contraste ne fait que s'accroître entre la sophistication, discrète mais bien réelle, des hôtels parisiens et la rusticité joyeuse des villas suburbaines. D'autre part, alors que chaque construction individuelle est l'objet d'un renouvellement, les immeubles de rapport, au contraire, suscitent la mise au point d'une rhétorique, d'un art de la composition

Si, au début du siècle, la couleur tend à disparaître des intérieurs créés par Guimard – les gammes de beige, jaune, crème et abricot succédant aux bleus, verts, turquoises et orangés des années 1895-1900 –, de nouveaux effets de richesse apparaissent. Le bronze doré prend alors une place de plus en plus importante, pour triompher dans les très nombreux modèles de luminaires que Guimard crée au cours des années 1910.

«Pierre de taille et confort moderne à mille francs le mètre de construction»

La décennie qui précède la Première Guerre mondiale est pour Guimard particulièrement riche en constructions de rapport : se succèdent les réalisations des immeubles de l'avenue de Versailles, l'immeuble de la rue François-Millet et le vaste ensemble des rues Gros, La Fontaine et Agar.

Si Guimard peut maintenir une telle activité, c'est avant tout grâce à la fidélité de sa clientèle, principalement les Jassedé et les Grivellé. On sait que madame veuve Grivellé avait considérablement aidé Guimard, encore étudiant, en lui procurant notamment la commande du Grand Neptune. Dix ans plus tard, elle lui confie, pour son propre compte, la réalisation de la villa la Bluette sur la côte normande. Son fils, Prosper-Gaston Grivellé, présente l'architecte à Florimond-Ernest Trémois, dont il avait épousé la fille en 1903 ; celui-ci lui commande l'immeuble du 11 rue François-Millet. Quelques années plus tard, le même Prosper-Gaston abritera ses

Le commanditaire des immeubles contigus de l'avenue de Versailles (à droite) et de la rue Lancret n'est autre que Louis Jassedé, celui-là même pour qui, en 1893, Guimard avait conçu la villa de la rue Chardon-Lagache.

amours extra-conjugales à Sceaux, dans le Chalet Blanc, conçu également par Guimard.

A LA TRAGÉDIENNE AGAR
QUI HABITA AUTEUIL ₹ PASSY
DE 1870 A 1880

Cependant, Guimard est lui-même l'instigateur de son plus important chantier : l'ensemble immobilier des rues Gros, La Fontaine et Agar. Il épouse en 1909 l'artiste-peintre Adeline Oppenheim, fille d'un banquier new-yorkais ; sûr de l'appui financier de sa femme, et du soutien de Léon Nozal, riche industriel qui possède de très nombreux terrains à Auteuil, il met sur pied en 1910 une société

Une fois le Castel Béranger achevé, Guimard attend cinq bonnes années avant de pouvoir à nouveau se confronter aux problèmes de construction et d'aménagement d'immeubles. Il ne cesse dès lors de se consacrer à ce type de programme, même lors du ralentissement de sa carrière après la Première Guerre mondiale. Dans l'ensemble de la rue Agar, il met tout son art au service des propriétaires d'Auteuil, soucieux de rentabiliser leurs terrains, et assure un confort maximum aux locataires.

anonyme, la Société générale de constructions modernes, au sein de laquelle il peut agir en toute liberté ; et avec célérité puisque la rue Agar est inaugurée dès novembre 1912. C'est assurément là l'entreprise la plus ambitieuse de Guimard, même si, sur les onze immeubles du projet initial, il n'en réalise finalement que six.

Monochromie et verticalité

Dans toutes ces constructions collectives, qui s'échelonnent de 1903 à 1911, Guimard apparaît souverain dans la conception de volumes dynamiques, animés et parcourus d'un rythme unitaire. Ce qui frappe par rapport au Castel Béranger, c'est l'absence de couleur, de ce chromatisme qui avait été l'une de ses plus sensationnelles nouveautés.

Guimard n'en renonce pas pour autant aux oppositions de matériaux. Mais celles-ci se réduisent sensiblement et ne mettent en œuvre que la pierre de couleur crème et la brique blanche, ponctuées çà et là par le noir intense des balcons et appuis en fonte, qui étaient de couleur turquoise au Castel Béranger. Les effets ne proviennent plus de la juxtaposition des matériaux de couleurs et de nature diverses, mais d'une volonté tenace de rompre avec le traditionnel immeuble parallélépipédique. La rupture peut être spectaculaire : à l'angle de l'immeuble Jassedé, balcons et bow-windows sont animés d'un

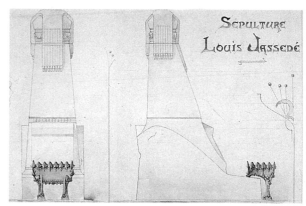

Guimard a érigé plus d'une quinzaine de monuments funéraires qui permettent de suivre le développement stylistique de sa carrière. Jusqu'en 1894-1895, il se réfère au néo-gothique et à Viollet-le-Duc. Le monument réalisé en 1895 pour la belle-mère de Louis Jassedé montre une intéressante tentative de lier en un mouvement unique la pierre tombale et la stèle, tandis que le modelé de la jardinière évoque certains éléments du décor architectural du Castel Béranger.

SOCIÉTÉ GÉNÉRALE DE CONSTRUCTIONS MODERNES

Siège Social: 122, Rue MOZART

Rue LaFontaine et Rue Gros

Le principe de base de la distribution intérieure est la scission entre, d'une part, les pièces de réception et, d'autre part, les chambres et salles de bains. La liaison est assurée par une galerie sur laquelle s'ouvrent toutes les pièces. Le rapprochement salle à manger, office et cuisine est systématique ; l'escalier de service, en liaison immédiate avec la cuisine, facilite les allées et venues de la domesticité.

mouvement contrarié qui les déporte alternativement d'un côté et de l'autre et qui confère à l'articulation des façades un caractère mouvant. Moins provocante, la façade de l'immeuble Trémois paraît à première vue symétrique, pourtant, aucune travée verticale n'est semblable à une autre, tant par le nombre que par la forme des baies.

Autre caractéristique : l'affirmation de la verticalité. Elle triomphe dans l'ensemble de la rue La Fontaine où rien ne vient interrompre l'élan fluide et vigoureux des travées, en particulier dans celles des bow-windows. Cet élan naît au premier niveau d'un arc issu du gothique flamboyant, qui dessine la porte d'entrée, et s'achève par le jeu pittoresque et complexe – où intervient le bois – des auvents, des

Guimard est certainement le seul architecte parisien à concevoir des appartements ne comportant aucune pièce sur cour, conciliant hygiène et modernité : «Dispositions modernes – pas de pièces sur cour.»

toitures et des lucarnes. Le décor sculpté se soumet lui aussi aux impératifs d'asymétrie et de verticalité, mais de manière moins agitée et moins chiffonnée qu'au Castel Béranger. Plus de «diables», plus de reliefs excessifs, mais de simples nervures et de fins enroulements aux extrémités bourgeonnantes. Les motifs légèrement galbés des balcons épousent le mouvement ondulatoire des façades, sans jamais nuire à leur rythme ascensionnel.

Les derniers castels : les «folies» 1900 de la bourgeoisie parisienne

Les villas de la maturité, si elles sont bien les sœurs du Castel Henriette et de la Bluette, n'ont cependant pas le caractère onirique de leurs aînées.

Certes, le Castel d'Orgeval du Parc Beauséjour à Villemoisson-sur-Orge, construit pour le promoteur du parc, Achille Laurent, offre un nombre déconcertant de terrasses et de tours, et chacun des volumes qui le composent est surmonté d'un toit ou d'un auvent. Mais les formes ont perdu de leur fluidité au profit de brusques ressauts créant des emboîtages à angle droit et des intersections dont la découpe incisive doit autant au Japon qu'à Viollet-le-Duc. En revanche, le Castel Val à Auvers-sur-Oise – une commande du beau-frère de Léon Nozal, Louis Chanu – ne présente ni saillie ni décrochement ; la maison est parcourue d'un mouvement giratoire unique, fermé sur lui-même, semblable à celui d'une coquille d'escargot. La Surprise, construite à Cabourg pour Léon Nozal, évoque davantage le Castel Henriette, la Bluette ou le Castel Craon par la présence de balcons en saillie, surélevés par des étais de bois ou de maçonnerie, ceinturant les façades soit au premier, soit au second niveau.

En réalité il est difficile d'établir un lien de parenté entre ces villas, auxquelles il conviendrait d'ajouter la Sapinière d'Hermanville, le Chalet Blanc de Sceaux, Clair de Lune et Rose d'Avril au Parc

L a composante néo-gothique est frappante, ci-dessous au 17 rue La Fontaine comme dans tous les immeubles de cette période. Lorsqu'il projette les couronnements des portes d'entrée et des bow-windows, Guimard se souvient sans aucun doute des gables de l'architecture flamboyante.

L e castel d'Orgeval (à droite), est la réalisation la plus accomplie du lotissement du parc Beauséjour, à Villemoisson-sur-Orge.

Beauséjour, ainsi qu'une petite maison à Eaubonne. La diversité s'explique avant tout par le souci de l'architecte de répondre aux besoins et aux désirs du commanditaire, de satisfaire le mieux possible les exigences de son mode de vie, de respecter ses moyens financiers et de s'adapter à l'environnement naturel. Mais, comme il l'a déjà fait avec ses éléments de décor, Guimard imagine, pour une diffusion plus large de son style architectural, une série de maisons-types, adaptées à des situations diverses.

Aux clôtures et balcons des villas de Guimard, pas de bois sculpté ou tourné, mais du bois de charpente débité à la machine, cloué et laqué, dont la découpe incisive renforce la note japonisante du dessin des toitures.

Des villas sur catalogue

L'envoi de Guimard au Salon d'automne de 1907 est particulièrement révélateur de toutes ces préoccupations. Il y présente, accompagné d'un prospectus où sont indiqués les caractéristiques et le prix de revient de chaque construction, quatorze projets fortement caractérisés de «villas Style Guimard pour la campagne, les bords de la mer et le midi de la France», allant du petit pavillon dans les bois (la Maisonnette coûte entre 5 000 et 6 000 francs) jusqu'au somptueux Castel Yvonna à 80 000 francs, dont les dispositions des pièces d'habitation assurent une «protection réelle contre les ravages accablants du soleil du midi».

Quelques-unes de ces villas, modestes à l'évidence, même si une chambre de bonne y est prévue, s'adressent à la petite bourgeoisie désireuse de s'aérer dans les proches environs de Paris ; mais la plupart vise une clientèle au train de vie moins étriqué. Aurora, d'une architecture élégante, présente tout le confort moderne ; elle est proposée pour la forêt de Chantilly au prix de 22 000 francs. Les Galets

Le succès du littoral normand auprès de la riche bourgeoisie parisienne suscite à partir de 1890 un développement architectural spectaculaire où pittoresque et balnéaire se teintent volontiers d'Art nouveau. Quelques années après la construction de la Bluette, Guimard revient à Hermanville pour y édifier un petit immeuble d'appartements estivaux, la Sapinière. A la même époque il travaille à la Surprise, (à droite) à Cabourg, pour le compte de la famille Nozal.

assurent un «bien-être de vie à la mer» pour 25 000 francs. Gri-Gri (30 000 francs), dans les Vaux de Cernay, apparaît comme «la demeure rêvée par un artiste» : un escalier conduit directement de l'entrée au grand atelier, indiquant au premier coup d'œil la fonction de la villa et sa partie la plus intéressante. A Pierrefonds, séjour recherché par «les amateurs du beau et du confortable», les Charmilles (40 000 francs) proposent une distribution qui s'articule autour d'une grande pièce «ouverte sur les perspectives de la nature». Guimard prévoit également, dans la réalisation de ce vaste programme, une auberge (entre 16 000 et 20 000 francs), dont il explique la nécessité en ces termes : «Le tourisme moderne rendant les excursions fréquentes, les restaurants de campagne étant mal situés, la construction d'auberges modernes, dans de beaux sites des environs de Paris, rendrait de grands services. Une grande salle bien aérée, largement

S'il travaille pour une clientèle aisée, Guimard songe aussi aux loisirs de la petite bourgeoisie. La construction de la «Maisonnette, petit pavillon dans les bois»(ci-contre), revenait à 5 ou 6 000 francs.

L a Surprise devrait son nom aux circonstances particulières de sa construction. Sur la demande de madame Nozal, Guimard l'aurait conçue à l'insu de Léon Nozal, qui n'aurait été mis au courant qu'au moment de régler les factures. Elle fut victime de l'occupation allemande, qui en avait fait une réserve de munitions pendant la Seconde Guerre mondiale.

ouverte sur une terrasse dominant le plus beau point de vue, avec cuisine, office, dépendance et terrasse couverte, avec salon au premier étage, fourniraient avec le logement de l'aubergiste le type du genre. »

L'hôtel Nozal, ou la disparition d'une pièce d'anthologie

Lorsque Guimard rédige ce prospectus à l'intention des visiteurs du Salon d'automne, le chantier de l'hôtel Nozal vient de débuter, l'administration préfectorale ayant accordé le 21 juillet 1904 à Léon Nozal l'autorisation de construire un hôtel particulier 52 rue du Ranelagh. Apogée de la carrière de Guimard, l'édifice n'en sera pas moins sacrifié en 1957 à la toute puissante spéculation immobilière.

Les multiples infléchissements et renflements des façades, conjugués avec la variété formelle des ouvertures soulignées d'élégants motifs sculptés, témoignent d'une maîtrise suprême dans le maniement de la ligne courbe. Celle-ci se déploie avec une liberté d'autant plus grande qu'elle ne se heurte à aucune opposition de matériaux, puisque la pierre et la brique des façades sont du même ton et présentent le même aspect lisse. Commande exceptionnelle, l'hôtel Nozal présente davantage d'affinités avec la demeure aristocratique du XVIIIe siècle qu'avec les hôtels bourgeois de son temps, d'une pompe et d'une solennité souvent bien pesantes. Comme au Castel Henriette, la première impression est celle d'une vitalité et d'une croissance incontrôlées. Tout ne semble que courbes et contre-courbes. Mais l'examen attentif des plans en révèle la rationalité et la tendance à la symétrie. Un tel choix trouve sa source, une fois de plus, dans l'œuvre didactique de Viollet-le-Duc : le plan est en effet

À plusieurs reprises, Guimard projette des pavillons pour le compte de sociétés telles que la Société anonyme coopérative idéale, ou le Cottage populaire. Le dessin de la toiture, totalement en terrasse, exceptionnel chez Guimard, s'explique peut-être par la destination géographique du pavillon : le midi de la France par exemple.

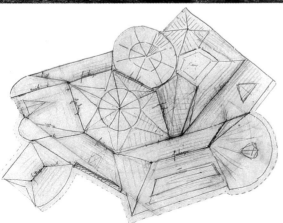

L e richissime Léon
Nozal (1847-1914)
avait développé dans
des proportions
considérables le négoce
de métaux qu'il tenait
de son père. En 1902-
1903, Guimard
travaille
simultanément à
plusieurs projets pour
la famille Nozal, en
particulier les
entrepôts de la Plaine-
Saint-Denis, l'atelier de
la rue Perrichont, et
l'hôtel du 52 rue du
Ranelagh (ci-dessus, la
façade; ci-contre, le
plan des toitures).

N° 11

HÔTEL NOZAL

VUE PERSPECTIVE
DU VESTIBULE DE L'ASCENSEUR

Tous Droits de Propriété
et reproductions
réservés

Paris le 27 Déc 1902
L'Architecte

Hector Guimard
Architecte d'Art
Hôtel Béranger 14 Rue la fontaine 14

L e chantier de l'hôtel
Nozal a été très
long, en raison de
l'interruption du projet
consécutive à la
disparition tragique
de Paul Nozal, fils de
Léon et ami de
Guimard, dans un
accident d'automobile
en 1903. Dès les tous
premiers projets en
1902, Guimard
imagine un ascenseur
pour ce gigantesque
hôtel particulier. Les
travaux s'achèvent en
octobre 1906.

établi sur la diagonale d'une équerre, selon les
directives préconisées pour la construction d'un hôtel
particulier, dans le dix-septième *Entretien sur
l'Architecture.* Vers le vestibule central convergent à
angle droit les deux ailes symétriques de la façade
principale, abritant au rez-de-chaussée, l'une le grand
salon, l'autre le billard. En revanche la bibliothèque
s'y rattache à gauche, selon un parti faisant cette fois
fi de toute symétrie. Au-dessus de ce vaste ensemble
constituant les pièces de réception, le premier étage
est entièrement dévolu à la vie privée des maîtres de
maison ; le second étage regroupe les chambres d'amis
ainsi qu'un appartement réservé à madame Chanu, la
mère de madame Léon Nozal. Il est aisé à la vieille
dame d'accéder à cet étage élevé, à l'aide d'un
ascenseur aménagé au fond du vestibule central, et
dont une paroi est constituée par une verrière colorée.

Une nouvelle forme d'élégance parisienne

La genèse de l'hôtel Deron-Levent, 8 villa de la Réunion, – en vis-à-vis de l'hôtel Jassedé élevé en 1893 –, est particulièrement instructive eu égard à l'évolution de son art. Si la demande de permis de construire remonte à 1905, le bâtiment porte la date de 1910. Le résultat final est loin d'être aussi audacieux que le projet élaboré en 1905, dans lequel régnaient l'asymétrie, les ouvertures et toitures multiples et de formes diverses, ainsi que des appareils fortement différenciés. En 1910, les deux travées, l'une plate, l'autre en très légère saillie, présentent des ouvertures symétriques accentuant l'effet d'horizontalité, déjà souligné par les chaînages

Après 1900, le rôle du vitrail diminue sensiblement dans les réalisations de Guimard. Il fait cependant un retour en force en 1910 lorsque l'architecte conçoit pour l'un de ses amis, le fabriquant de dentelle Paul Mezzara, un hôtel particulier au 60 rue La Fontaine. L'enchevêtrement des lignes qui sillonnent la grande verrière du hall n'évoque guère les entrelacs vigoureusement

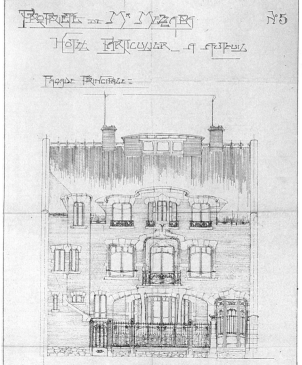

asymétriques des vitraux du Castel Béranger. Ici, au contraire, la composition est parfaitement symétrique, tout comme l'élévation de la façade.

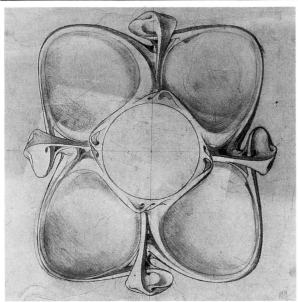

Ce modèle de monture de vase, réalisé en 1899, fait partie de l'important fonds de dessins laissés par Guimard, déposé aujourd'hui au musée des Arts décoratifs.

de pierre et brique, tandis que les oppositions de matériaux se perdent dans la tonalité générale gris-beige. Mais le plus étonnant de la part de l'architecte réside dans la réunification des toitures : le temps des castels est bel et bien révolu.

Construit en 1910-1911, l'hôtel Mezzara, 60 rue La Fontaine, confirme cette nouvelle orientation. Hormis l'entrée principale rejetée sur la droite, et une petite tour, correspondant au logement des domestiques, flanquée sur la gauche de la façade sur rue, l'élévation est d'une symétrie parfaite. L'intérieur offre cependant un saisissant contraste avec les rythmes calmes de l'extérieur. Il s'organise en effet autour d'un vaste hall central, remarquable par l'escalier, la galerie de circulation desservant le second niveau et l'immense verrière zénithale dans laquelle certains veulent voir une forme phallique. L'opposition presque brutale entre, d'une part, les structures métalliques enserrant la verrière et les poutrelles de fer soutenant l'escalier, et, d'autre part, les parties stuquées, encadrements de portes et

Bien qu'il dessine fréquemment les jardins des villas qu'il construit, Guimard n'utilise guère ses propres modèles de mobilier de jardin, fabriqués et diffusés par les Fonderies de Saint-Dizier. Ci-dessus, une jardinière composée d'un socle et d'une vasque.

corniches, d'une délicatesse et d'un raffinement extrêmes, rappelle que le jeune homme téméraire du Castel Béranger vit encore en l'homme de cinquante ans et que l'Art nouveau n'a rien perdu de sa vigueur créatrice.

Le Style Guimard et les arts du décor : la constitution d'un répertoire

Très tôt Guimard avait revendiqué pour l'architecte le rôle de maître-d'œuvre et proclamé l'interdépendance entre architecture et arts décoratifs. «J'aime l'architecture, déclarait-il dans sa conférence du 12 mai 1899 dans les salons du Figaro, et si je l'aime, c'est parce qu'elle comprend, dans son essence, dans sa formule, dans sa fonction et dans toutes ses manifestations, tous les autres arts, sans exception.» En 1907, il affirme que si l'art décoratif moderne n'a pas suivi en France le même développement qu'à l'étranger, la faute en incombe aux architectes français qui méconnaissent leur rôle de directeurs de l'œuvre.

Sa conception de l'architecture comme pratique interdisciplinaire, son refus de la scission entre architecture et arts décoratifs l'ont certes mené à la création d'un décor et d'un mobilier conçus en fonction d'espaces précis. Cependant, même si l'album du Castel Béranger était déjà l'occasion de montrer quelques réalisations n'ayant pas pris place dans les appartements, et pouvant apparaître comme d'éventuels prototypes d'une série restreinte, imaginer un mobilier et un décor indépendants d'une architecture ne s'impose pas à Guimard avant les années 1902-1903.

Cherchant à diffuser son style, et encouragé par les résultats concluants de sa collaboration avec la manufacture de Sèvres entre 1899 et 1902, il entreprend la constitution d'un répertoire typologique et formel de modèles d'«art industriel», selon l'expression de l'époque. En 1904, Léon Nozal met généreusement à sa disposition, moyennant loyer, le pittoresque atelier d'artiste qu'il lui avait demandé de construire avenue Perrichont-Prolongée. Si les ateliers de Guimard peuvent alors établir

Animée d'une réelle volonté de renouveau, la Manufacture de Sèvres fait appel à Guimard pour trois modèles, dont une jardinière en grès (ci-dessous).

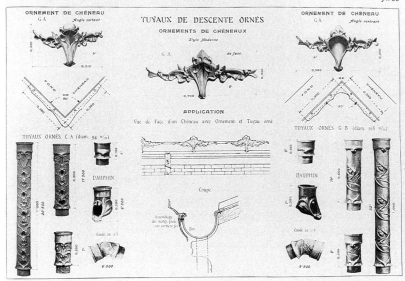

maquettes et modèles, il ne sont pourtant pas en mesure d'assurer la fabrication suivie et la diffusion de ses créations; ils ne peuvent tout au plus qu'honorer une commande particulière. Quatre fragments d'intérieur, exécutés, ainsi que le spécifie le catalogue, dans les ateliers de l'auteur, sont exposés au Salon des artistes décorateurs de 1907; mais il ne s'agit que de fragments, d'éléments prototypes à valeur démonstrative.

De la fabrication des modèles à la diffusion des objets «Style Guimard»

Il est impératif, pour aboutir à une fabrication et à une diffusion satisfaisantes, tout en évitant des frais trop considérables, de recourir aux industriels. Pas moins de trente-sept s'étaient déjà associés à l'érection du pavillon Guimard lors de l'Exposition internationale de l'habitation de 1903. Ces collaborations sont occasionnelles, temporaires, ou peuvent durer de nombreuses années, telle celle

S'il abandonne la propriété industrielle et les droits de reproduction de ses modèles aux fabricants, Guimard ne renonce pas à sa propriété artistique. En revanche, ses dessins d'architecture sont protégés par une interdiction de reproduction.

avec le ciseleur Philippon, l'un des plus admirables interprètes des volutes bourgeonnantes et écumantes du Style Guimard. Certaines sont régies par des contrats passés avec des fabricants de meubles, notamment avec Olivier et Desbordes; d'autres aboutissent à dcs catalogues : comme ceux des Fonderies de Saint-Dizier et du Lustre Lumière. S'il est jalousement attaché à la formule «Style Guimard» et en exige la mention de la part des industriels qu'il sollicite, Guimard ne manque jamais en retour une occasion de nommer les exécutants de ses modèles. En 1913, dans une interview donnée à *La Construction moderne*, il clame bien haut sa reconnaissance à l'égard de «ses collaborateurs industriels dont les sacrifices et les efforts faits depuis de longues années méritent cettc considération». Cela n'est que justice : les techniciens qu'il emploie témoignent d'un savoir-faire époustouflant… et indispensable, car le Style Guimard ne peut que pâtir d'une exécution approximative ou relâchée. Seule une finition irréprochable traduit fidèlement la fluidité ct l'harmonie de ses jeux de lignes. Cependant, la clientèle se faisant rare, c'est dans la propre demeure de l'artiste que les plus beaux objets vont trouver refuge.

Les ateliers Guimard évoquent davantage une maison d'artiste qu'un atelier de production. Ils appartiennent plus au monde de l'artisanat qu'à celui de l'industrie. En 1903, Guimard n'y emploie qu'un dessinateur, un modeleur et trois «ouvriers d'art».

Les premiers meubles de Guimard sont caractérisés par un jeu de lignes graciles et souples, dont les points de départ, d'inflexion et d'aboutissement sont marqués par des nodosités. Ce parti puissant et provocateur est abandonné par la suite au profit de formes plus compactes et traditionnelles. La structure est alors soulignée par une fine nervuration; quant au décor, il est ponctuel, consistant en un enchevêtrement de motifs évoquant l'écume d'une vague ou le bourgeonnement d'une ramure.

«Il y a quelques jours, on inaugurait cette maison modèle de l'avenue Mozart, une merveille de bon goût, d'élégance et de confort»

En mai 1909, peu de temps après leur mariage, Hector et Adeline Guimard acquièrent un terrain avenue Mozart et déposent le mois suivant une demande de permis de construire pour un hôtel particulier. Le gros œuvre est achevé en 1910, mais le second œuvre et l'aménagement se poursuivent jusqu'en 1912.

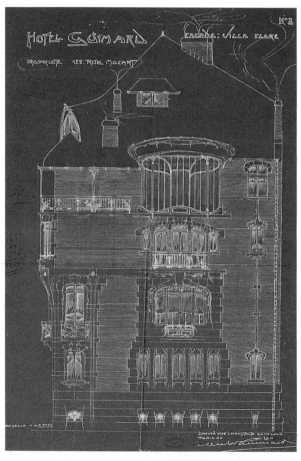

Les façades sur l'avenue Mozart et la villa Flore ondulent largement, de manière ininterrompue; aux niveaux supérieurs, les ruptures sont plus prononcées et les volumes plus articulés. Elles laissent cependant peu transparaître l'audacieuse ingéniosité des plans. A l'intérieur, non seulement Guimard conçoit boiseries et corniches, meubles et quincaillerie, mais il dessine même la lustrerie et imagine jusqu'aux motifs de la moquette, des rideaux et du linge de table, chiffré OG (Oppenheim-Guimard)

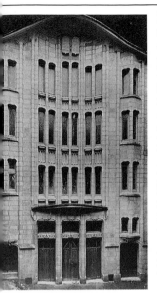

Libéré de toute contrainte, car il est son propre commanditaire, Guimard préside seul à la destinée de l'édifice. L'architecte ne redoute pas les terrains ingrats – celui-ci, en forme de triangle rectangle, est exigu – et surtout, il apprécie les sites d'angle qu'il sait brillamment exploiter. La liberté des plans étonne, mais s'explique en partie par l'exiguité même du terrain. En effet, rendus inutiles à l'intérieur, les murs porteurs sont rejetés à la périphérie, permettant la distribution au premier étage d'une salle à manger et d'un salon, tous deux de forme elliptique, et au troisième étage d'un vaste atelier pentagonal destiné à madame Guimard.

La «pose de la première pierre» de la synagogue de la rue Pavée, dans le Marais, a lieu en avril 1913. La construction a été commandée par une association groupant des société israélites orthodoxes. En dépit du caractère étriqué du terrain, Guimard réussit à conférer une certaine monumentalité à l'édifice. Le matériau utilisé est le «ciment armé», cependant Guimard ne lui trouve pas encore un langage formel adapté; il lui donne l'apparence d'un parement de pierre en traçant un faux appareillage.

La nécessité de ne pas perdre le moindre espace amène Guimard à placer la cuisine au sous-sol, d'où part un monte-plats aménagé dans la cage de l'escalier de service, lui-même camouflé dans l'angle gauche de la façade sur l'avenue Mozart. Pour les maîtres de maison, point d'escalier, mais un ascenseur de forme prismatique : la cabine est constituée d'une simple plate-forme entourée de parois revêtues de glaces sans tain ou argentées : «Quand mes visiteurs arrivent, je ne veux pas les enfermer dans une cage, comme on le ferait pour des animaux.» Transférée du Castel Béranger, l'agence de l'architecte s'installe au rez-de-chaussée, précédée d'une galerie de réception. D'après le témoignage d'un contemporain, Guimard avait réuni à ce niveau quelques-unes des réalisations les plus représentatives des années 1895-1900; et ce n'était qu'à partir du premier étage qu'apparaissaient les nouveaux modèles.

« Je pense que la mode actuelle du «nu» vient répondre à tout un état d'esprit. Nous ne croyons plus au mystère ; nous voulons comprendre immédiatement des choses qu'il nous suffit de toucher... C'est aussi la mode du nu qui donne autorité à l'ingénieur, celui-ci conçoit d'emblée et comme spontanément les formes pratiques et nues qui paraissent aujourd'hui désirables. »

CHAPITRE V
DE L'ARCHITECTE D'ART À L'INGÉNIEUR

La sécheresse de la standardisation trouve un contrepoint dans certains détails plastiques : formes grasses des appuis de fenêtre en fonte, motifs abstraits des jambages du bow-window et du couronnement de la porte.

ECHELLE DE 0.01 p.M⁰
TYPE K · MAISONS OUVRIERES STANDARD ·

COUPE LONGITUDINALE

FAÇADE SUR RUE · FAÇADE SUR JARDIN

L'interruption des chantiers pendant la guerre ne réduit pas Guimard à l'inactivité. On le voit tout d'abord, en tant que président des Architectes gérants d'immeubles, défendre les intérêts des propriétaires lésés par le moratoire sur les loyers accordé aux familles des soldats appelés sous les drapeaux. Entre 1915 et 1919, il rédige plusieurs projets et mémoires pour l'Etat-Pax, organisation internationale permanente et indépendante dont le but est d'assurer le respect des traités de paix – une préfiguration en quelque sorte de la Société des Nations.

Un monde transformé

Au lendemain de la guerre, son activité de constructeur se trouve sensiblement modifiée. Guimard est privé du soutien de Léon Nozal, décédé en 1914, et doit renoncer à ses ateliers. Le directeur des Bâtiments civils lui octroie l'usage d'une partie des hangars de l'ancienne Orangerie de Saint-Cloud. Guimard a l'intention d'y parfaire et d'y compléter ses «recherches modernes dans les arts de l'architecture et de la décoration». Mais il ne devait plus créer de décors intérieurs réellement nouveaux.

L'architecte-ingénieur : «Standard-Construction»

Afin de répondre aux besoins de son temps, Guimard n'hésite pas à se faire ingénieur : Viollet-le-Duc n'avait-il pas prédit la substitution de l'ingénieur à l'architecte ? Dans un premier temps, comme bon nombre de ses collègues, il entend participer à la reconstruction des régions rurales dévastées. Il met

Nous ignorons dans quelle mesure les projets de maisons ouvrières de Guimard furent réalisés, et même s'ils suscitèrent l'intérêt des entrepreneurs. Par contre les procédés de la «Standard-Construction» ont incité d'autres architectes, en particulier Henri Sauvage, à pousser leurs recherches dans la même direction : la préfabrication.

au point un mode de construction nouveau qui se traduit par le dépôt, entre décembre 1920 et janvier 1921, d'une douzaine de brevets relatifs à la construction de pavillons standardisés. Le système, breveté sous le nom de «Standard-Construction»,

HÔTEL PARTICULIER
CONSTRUIT AVEC
ÉLÉMENT STANDARD

SYSTÈME et ÉLÉMENTS
DONT LA PROPRIÉTÉ EST RÉSERVÉE AU
STANDARD - CONSTRUCTION
═ **CONCESSIONNAIRE DES 10 BREVETS** ═
•••••••••• **GUIMARD** ••••••••••

La seule construction réalisée, selon ces procédés, par l'architecte lui-même est un petit hôtel particulier, toujours en place au 3 square Jasmin, dans le quartier d'Auteuil. Il faisait partie d'un projet de lotissement émanant de la propre société de Guimard.

présente l'avantage de supprimer l'emploi du mètre sur le chantier, et d'éviter gravats et déchets. Les matériaux sont employés à sec. Les parements extérieurs et intérieurs sont faits en même temps que le gros œuvre. En outre, le système permet

L'architecte Henri Sauvage, propose en 1922 ce projet pour une rue à gradins (à gauche). Le Groupe des architectes modernes, qui comprend entre autre Guimard et Sauvage, conçoit en 1923 un ensemble de constructions destinées à loger les visiteurs de l'Exposition de 1925. Capable d'abriter plus de 1 600 personnes, ce projet gigantesque, étonnamment moderne, n'est pas retenu. La paternité en revient certainement à Sauvage, en raison de l'importance des immeubles à gradins, et de la rigueur de la symétrie.

d'exécuter sans coffrage une armature en ciment armé. Cette nouvelle logique constructive est interrompue par la crise de 1929, dont souffrent tout particulièrement les industries du bâtiment.

Du «Nouveau» au «Moderne»

C'est précisément à la même époque que les surréalistes redécouvrent le Guimard «1900». Salvador Dali opposera «l'ornementation prophétique de Guimard» au «manque total d'érotisme de Le Corbusier et autres débiles mentaux de notre architecture moderne».

Alors qu'en Allemagne Walter Gropius (1883-1969) fonde en 1919 à Weimar le Bauhaus, et crée une véritable esthétique industrielle; alors qu'en Hollande

Van Doesburg et Rietveld (1888-1964), n'acceptant que les formes cubiques et parallélépipédiques, assurent au bâtiment son unité spatiale en prolongeant vers l'extérieur les murs intérieurs et recourent à la couleur non pour décorer mais pour définir les espaces ; par contre on ne sait pas très bien qui peut apparaître en France comme le grand architecte du moment. Henri Sauvage (1873-1932) expérimente des constructions à gradins et des techniques de préfabrication pour une «cellule-unité d'habitation» en acier, construite en usine. Auguste Perret (1874-1954) évolue vers un néo-classicisme modernisé, tout à la gloire du béton armé. En revanche, Le Corbusier (1887-1965) construit entre 1922 et 1924 une série de maisons individuelles, comme la villa Laroche à Auteuil, maisons-outils qui exploitent au maximum les possibilités techniques et économiques contemporaines : le béton armé et la préfabrication. Quant à Robert Mallet-Stevens (1886-1945), il réalise, toujours à Auteuil, en 1926-1927, le chef-d'œuvre de l'architecture cubiste, fait de décrochements, de cylindres et de pans de verre : le lotissement d'hôtels particuliers bordant la rue qui porte aujourd'hui son nom.

A u Salon de 1925 (ci-dessous), Le Corbusier et Jeanneret font sensation avec leur pavillon de l'Esprit nouveau, qui présente également des sculptures de Jacques Lipchitz (ci-dessus).

Une occasion manquée : l'Exposition internationale des arts décoratifs et industriels modernes de Paris

Sur le modèle de l'Exposition d'art décoratif de Turin en 1902, la première du genre, Paris décide d'organiser sa propre exposition, en 1925, sur l'esplanade des Invalides. Guimard entend bien y participer. En 1923, avec d'anciens tenants de l'Art nouveau (Frantz Jourdain, Henri Sauvage, Paul Bluysen, Pierre Selmersheim, Louis Bonnier et Louis Sorel), il fonde une association, le Groupe des architectes modernes, dont il assure la vice-présidence. Le préambule des statuts résume leur volonté : «Défendre, par tous les moyens l'architecture et l'art appliqué modernes.» Leur projet pour l'aménagement de l'Exposition, jugé trop ambitieux, est refusé.

Le traitement plastique de la façade de la mairie du Village français, en particulier le mouvement curviligne de la travée centrale dont la verticalité est accentuée par le pignon, rappelle le langage de Guimard dans les années 1910. Les critiques les plus favorables s'écrient : «C'est du Guimard!» ; les plus hostiles y voient un parfait exemple «d'aveuglement et de personnalisme intransigeants».

ELEGANTES

GARÇONNIÈRES

dans

MEUBLE en CONSTRUCTION

au

TROCADERO.

Ils n'obtiennent que la réalisation du Village français : la participation de Guimard se réduit à la mairie. Malheureusement, le bâtiment ne répond pas exactement à ses désirs : en raison de l'insuffisance des crédits alloués, au lieu d'être isolé comme le dictait le projet, il est finalement construit entre les murs mitoyens des maisons voisines. Seule la salle des mariages, au premier étage, fait l'objet d'une décoration, sobre et particulièrement soignée : les murs sont revêtus de marbre gris ; le plafond est brun rosé avec mouchetures d'or et solivage de tonalité bronzée. D'étroits et hauts vitraux – œuvres de Jeannin –, représentant des scènes de la vie rurale, ornent les fenêtres. Au rez-de-chaussée, Guimard organise une exposition des matériaux nécessaires à l'industrie du bâtiment ; entre autres les tuiles en fibro-ciment utilisées pour la couverture de la mairie, qui traduisent le souci toujours vivace de l'architecte d'être en accord avec son époque.

Un nouveau langage fait de béton et de brique

Les immeubles construits dans les années vingt montrent que Guimard ne fait pas abstraction des expériences modernistes qui se multiplient autour de lui.

L'unité plastique de l'ensemble de la rue Greuze est assurée par un usage à la fois structurel et décoratif de la brique, appareillée soit en damiers soit en redents. Des tuyaux de ciment Eternit, semblables à des colonnes adossées, rythment la façade, sans renier leur fonction porteuse, produisant des effets plus spectaculaires encore. Sur les deux façades d'un verticalisme forcené de la villa Flore, les chaînages de pierre et de brique accentuent le mouvement ascensionnel des ouvertures.

Les immeubles de la rue Greuze, conçus et construits entre 1925 et 1928, sur un terrain acquis par Guimard en 1923, loin d'être la triste conclusion d'une carrière, témoignent au contraire, avec leurs sept étages élevés sur une parcelle d'une étroitesse inouïe, de la capacité de l'architecte à élaborer une nouvelle monumentalité. Caractéristique majeure : une symétrie parfaite, que rompt à peine le léger décalage des ouvertures.

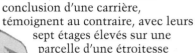

Dans le rapport structure-décor, Guimard va plus loin qu'en 1910 : c'est maintenant l'architectonique seule qui détermine le décor. Il en est de même en 1926-1927 avec l'immeuble du 1 villa Flore, élevé en face de l'hôtel Guimard, pour l'industriel Michel Houyvet.

En 1930, toujours soucieux de vivre en accord avec son temps, Guimard quitte le somptueux hôtel de l'avenue Mozart, vivante image de son style d'avant-guerre. Il emménage dans son dernier appartement parisien, plus «moderne», dans un immeuble qu'il avait édifié en 1926 au 18 rue Henri-Heine, sur un terrain lui appartenant. L'œuvre reflète un conflit : les

Guimard recourt aux éléments standard pour la Guimardière (ci-dessus) qu'il se construit en 1930 à Vaucresson. Pans de briques et tubes de ciment Eternit articulent les espaces, portent les planchers et les toits et jouent, non sans humour, le rôle de colonnes au niveau de la terrasse du rez-de-chaussée. Portes et fenêtres s'insèrent avec la plus grande facilité dans cette structure. En revanche, l'utilisation de la meulière et les décrochements de la toiture sont autant de réminiscences du Guimard des années 1890.

Construit en 1926, l'immeuble de la rue Henri-Heine (à gauche) est la dernière demeure parisienne de Guimard.

deux premiers niveaux, abondamment sculptés, évoquent l'hôtel de l'avenue Mozart. Réminiscences réfrénées dans les niveaux supérieurs par les jeux de briques ciselant des formes prismatiques, presque agressives malgré l'ondulation des bow-windows.

Un héritage contesté

En 1938, Guimard et son épouse quittent Paris pour New York. L'architecte est sérieusement malade. Il s'éteint le 20 mai 1942. La nouvelle de sa mort n'est connue en France qu'en 1945. En 1948, Adeline Guimard retraverse l'Atlantique, animée par la volonté de perpétuer le souvenir de son mari. En vain. Le cycle des démolitions qui va faire disparaître une grande partie de l'œuvre de l'architecte a déjà commencé. L'Etat français lui refuse le don de l'hôtel de l'avenue Mozart et de tout son ameublement. A la même époque, Auguste Bluyen, compagnon de Guimard depuis l'Ecole des beaux-arts, échoue dans sa tentative de regrouper dans une salle du Musée national d'art moderne «des œuvres de débutants de l'Art moderne où Hector devrait avoir la plus grande place». Ce n'est qu'en 1960, à l'occasion de l'exposition «Les Sources du XXe siècle», que Guimard se voit ouvrir les portes du Musée nartional d'art moderne.

A l'automne 1929, un concours public est ouvert pour un monument commémoratif des victoires de la Marne. Guimard y participe, de même que Sauvage. Son projet (ci-dessous) est centré sur une Victoire ailée aux bras levés qui domine un mur orné de figures de poilus. Le projet comporte aussi un plan d'urbanisme reliant le monument au village de Mondement, par un jardin et des parcs automobiles. Le jury décide de ne pas accorder de premier prix, la commande est confiée directement à l'architecte Paul Bigot qui s'associe au sculpteur Henri Bouchard pour réaliser une borne de 30 mètres de haut.

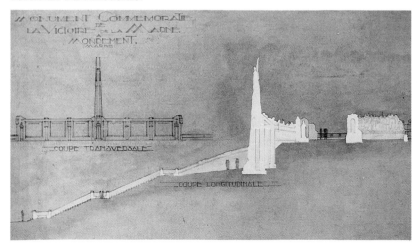

96

TÉMOIGNAGES
ET DOCUMENTS

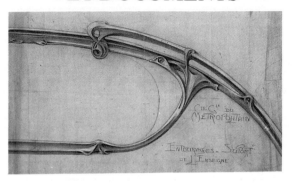

Les industries d'art

Trouver des fabriquants et industriels qui soient en mesure de traduire fidèlement ses modèles : voilà certainement l'un des problèmes les plus délicats que Guimard eut à résoudre. La liste impressionnante des collaborateurs sollicités pour le Castel Béranger ou pour le pavillon de l'Exposition de l'habitation laisse deviner les difficultés rencontrées tant dans la surveillance du travail que dans l'établissement des contrats.

Au cours de l'année 1903, des difficultés d'ordre financier s'élèvent entre Guimard et la Compagnie du chemin de fer métropolitain de Paris. Celle-ci assigne l'architecte devant le tribunal de la Seine. L'action judiciaire aboutit à une convention signée le 1er mai 1903.

Entre les soussignés,
     la Cie du Chemin de Fer Métropolitain de Paris d'une part,
     et Monsieur Hector Guimard, architecte, il a été arrêté ce qui suit :
     La Cie du Chemin de fer Métropolitain de Paris a chargé M. Guimard, auteur de projets d'édicules, balustrades et portiques agréés par l'Administration Municipale, de diriger les travaux des accès aux stations pour les lignes 1 et 2.
     Des difficultés s'étant élevées entre eux au sujet des dits travaux la Cie a assigné M. Guimard en référé devant M. le Président du Tribunal Civil de la Seine.
     ARTICLE I
     La Cie du Chemin de Fer Métropolitain de Paris paiera à M. Guimard une somme de vingt et un mille francs pour le solde de ses frais avancés et honoraires sur les travaux de la ligne n° 1 et pour le droit de propriété et de reproduction dont il sera parlé à l'article II ci-après.
     En ce qui concerne la ligne n° 2, la Cie a ratifié les marchés passés par M. Guimard avec les divers entrepreneurs qu'il a mis en œuvre. M. Guimard réglera les mémoires de ces entrepreneurs et la Cie lui paiera pour tout son concours, en tant qu'architecte, sur les travaux de la ligne n° 2 exécutés sous ses ordres des honoraires au taux de cinq francs cinquante pour cent sur le montant total net de la dépense réelle effectuée.

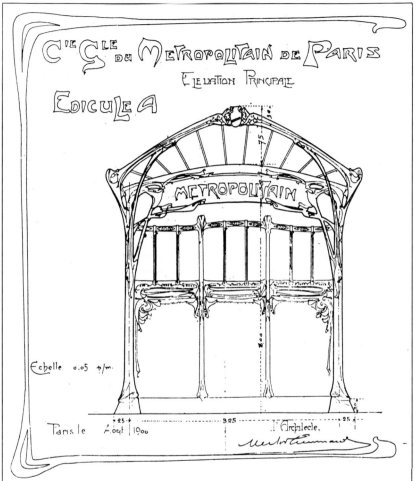

Cie Gle DU METROPOLITAIN DE PARIS

ÉLÉVATION PRINCIPALE

EDICULE A

Echelle 0.05 p/m.

Paris le   Aout 1900   L'Architecte,

+25+   325   +25+

ARTICLE II

Moyennant le paiement de la dite somme de 21 000 frs et du solde des dits honoraires pour la ligne n° 2, M. Guimard cède à la Cie du Métropolitain la propriété complète entière et définitive de ses modèles ainsi que tous droits de reproduction.

Toutefois si la Compagnie veut édifier des édicules couverts de dimensions différentes de ceux existant avec les éléments décoratifs créés par M. Guimard, elle devra de toute nécessité s'adresser à lui pour en dresser les dessins, mais seulement dans le cas où les dimensions motiveraient des changements dans les éléments décoratifs. [...]

ARTICLE IV

La Cie du Métropolitain, devenue par les présentes propriétaire des édicules de M. Guimard, autorise ce dernier à faire usage des dits modèles pour son compte personnel. M. Guimard les fera reproduire par qui il jugera convenable, et notamment la Société du Val d'Osne et tous les autres fournisseurs de la Cie du Métropolitain.

M. Guimard se servira des dits modèles comme il l'entendra; il s'interdit toutefois de les employer pour une compagnie de transports concurrente du Métropolitain de Paris.

Fait en double à Paris
le premier mai mil neuf cent trois

**Projet de convention établi par
P. Aubert, 18 rue du Mail, Paris,
fabricant de moquettes Jacquard
pour appartements et escaliers**

Paris le 16 novembre 1908,

1° M. Guimard créera et remettra à M. Aubert, pour être exécutés en moquette, un certain nombre de dessins de tapis.

2° M. Aubert aura l'exclusivité de la fabrication, mais M. Guimard conservera la propriété exclusive des dessins créés par lui.

3° M. Aubert devra déposer les dessins au Tribunal de Commerce, au nom de M. Guimard, et sous la rubrique «Style Guimard».

4° M. Aubert remettra à M. Guimard un certain nombre de planches coloriées de chacun des dessins et coloris adaptés pour former une des parties concernant l'ameublement d'un album qui réunira, une fois terminé, tous les éléments en «Style Guimard».

5° M. Aubert pourra faire pour ces dessins la même publicité que pour les autres articles de sa fabrication, il pourra

mettre en magasin un certain nombre de pièces des différents dessins et coloris; mais il n'y sera tenu qu'autant que les ventes seront assez nombreuses pour que les pièces ne restent pas en magasin trop longtemps et ne viennent alors à se détériorer.

6° Dans le cas d'une commande d'un tapis d'un autre coloris ou d'une autre qualité que ceux qui auront été adoptés en principe, majoration de 30 F pour tout métrage supérieur à 100 m.

7° Remise de 10 % à M. Guimard.

8° Clients de M. Guimard : M. Aubert partagera par moitié avec M. Guimard la différence entre le prix qui lui aurait été facturé à lui personnellement et celui qui aura été facturé aux clients.

9° Sur le chiffre net encaissé, droit d'auteur de 5 % à M. Guimard.

10° Tous les trimestres M. Aubert remettra à M. Guimard un extrait certifié conforme des débits faits sur les dessins «Style Guimard» et s'il y a lieu le règlement des droits d'auteur sera effectué le mois suivant.

Brevet d'invention : franges-pendeloques diffusantes pour luminaires, lustres, etc.

L'invention présente se rapporte à des franges-pendeloques pour luminaires, lustres, etc., lesquelles sont destinées à former l'élément principal des appareils d'éclairage et plus particulièrement applicables aux lustres électriques. La caractéristique de l'invention consiste spécialement à combiner des pendeloques translucides ou opaques avec des fils métalliques, solidarisés par des verres coulés de toutes couleurs. Comme on le voit, l'invention présente n'a aucune analogie avec les pendeloques des lustres qui n'ont d'autre but que d'embellir ces appareils et de les rendre plus agréables à l'œil; dans l'invention, au contraire, ces pendeloques forment une frange autour du lustre et des sources lumineuses de manière à tamiser et diffuser la lumière et lui donner une configuration originale et une physionomie nouvelle.

L'appareil d'éclairage, qui peut être un lustre, une lampe à suspension ou autre, est construit de manière à permettre l'adaptation autour d'une ou plusieurs sources lumineuses de pendeloques translucides ou opaques, de toutes couleurs, alternées et combinées avec des fils métalliques de manière à former une frange tamisant et diffusant la lumière.

Office national
de la propriété industrielle,
2 novembre 1910

Les problèmes rencontrés par Guimard pour la fabrication et la diffusion de ses modèles de meubles semblent résolus en 1913 par un solide contrat passé avec un fabriquant du Faubourg-Saint-Antoine; la guerre anéantit ce projet.

1) Monsieur Hector Guimard, Architecte d'Art, auteur et créateur de modèles pour la construction, la décoration et l'ameublement, demeurant 122, avenue Mozart

2) Messieurs Olivier et Desbordes, fabricants de meubles, demeurant 2, place d'Aligre

Composition et dessin
M. Guimard établit des croquis; les dessinateurs de MM. Olivier et Desbordes établissent les maquettes.

Modèles
Les dessins et modèles sont établis dans les ateliers de M. Guimard aux frais de MM. Olivier et Desbordes. Les meubles

sont exécutés en série d'au moins 12 de chaque meuble dans les ateliers de MM. Olivier et Desbordes. Les modèles déposés par la Maison Olivier-Desbordes sous la dénomination «Style Guimard» restent la propriété artistique de M. Guimard; les meubles sont la propriété industrielle exclusive de MM. Olivier et Desbordes. Tous ces meubles participeront à des ensembles pour lesquels M. Guimard fournira tous les éléments complémentaires qui ne font pas partie de la fabrication de MM. Olivier et Desbordes.

Catalogue
MM. Olivier et Desbordes s'engagent à éditer à leurs frais un catalogue spécial de meubles «Style Guimard» en simili-gravure, approuvé par M. Guimard. Ce catalogue sera commencé au plus tard le premier octobre prochain et sera terminé le premier juillet 1914. Il comprendra au moins 2 modèles de meubles nécessaires aux pièces suivantes : antichambre, salle à manger, salon, boudoir, bureau, bibliothèque, chambre à coucher.

La 1re édition sera tirée à 3000 exemplaires. Ce catalogue spécial de la maison Olivier-Desbordes portera la mention «Style Guimard».

Ces catalogues seront envoyés gratuitement à toute la clientèle de MM. Olivier et Desbordes.

Expositions (en France et à l'étranger)
MM. Olivier et Desbordes devront fournir gratuitement à M. Guimard les meubles nécessaires aux expositions. MM. Olivier et Desbordes auront le droit d'exposer des meubles «Style Guimard» présentés en ensembles permettant d'apprécier le style, mais M. Guimard sera tenu de fournir à cet effet à MM. Olivier et Desbordes tous les éléments complémentaires ne faisant pas partie de leur fabrication.

Conditions générales
MM. Olivier et Desbordes s'interdisent la fabrication de meubles modernes autres que ceux dénommés «Style Guimard».

Droits d'auteur
5 % sur le net encaissé par MM. Olivier et Desbordes.

Pour toutes les affaires traitées directement avec M. Guimard les meubles lui seront facturés au prix de vente de MM. Olivier et Desbordes avec les mêmes conditions de remise et de paiement que celles accordées aux maisons de vente ou tapissiers.

Tous les meubles «Style Guimard» seront suivis par MM. Olivier et Desbordes, comme les meubles de styles anciens.

Tous les trois mois, en mars, juin, septembre et décembre, MM. Olivier et Desbordes remettront à M. Guimard ou son représentant, sur papier libre, un état de compte des clients, relatif aux modèles «Style Guimard» et certifié conforme par eux, et le règlement des droits d'auteur sera effectué le mois suivant.

Durée
Le présent traité est fait pour une durée de dix années, à partir du premier janvier 1914; il se constituera ensuite par tacite reconduction avec dénonciation un an à l'avance.

En cas de dénonciation du présent contrat, MM. Olivier et Desbordes pourraient toujours continuer à fabriquer et à vendre les articles catalogués par eux, à charge de réserver 5 % à M. Guimard, mais ils devraient lui rendre gratuitement tous ces modèles, à ce moment tous les dessins, maquettes, modèles et catalogues non utilisés et ne devront en aucune façon fabriquer des meubles dans le Style de M. Guimard.

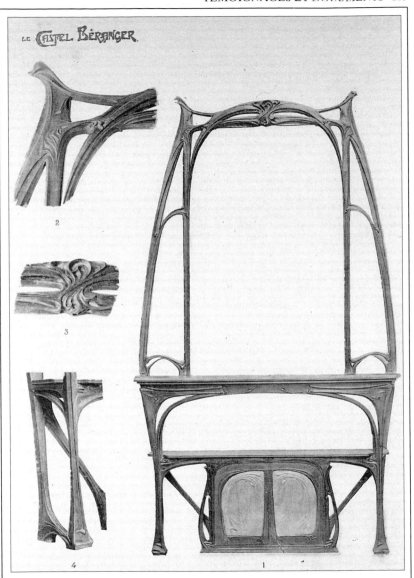

LE CASTEL BÉRANGER.

2

3

4

1

Ce «meuble de salon formant cheminée», reproduit dans l'album «Castel Béranger», est un modèle unique et fut utilisé pour la salle de billard d'une propriété dans le Loiret.

Des villas sur catalogue

Guimard a largement utilisé les supports publicitaires, dont le plus connu est la série des 24 cartes postales éditée en 1903. Mais il publie aussi, à l'occasion d'expositions, des prospectus, des dépliants ou des catalogues comme celui des projets de villas, présenté au Salon d'automne de 1904.

1. La Maisonnette.
Petit pavillon dans les bois, composé d'une entrée, salle avec escalier pour accéder au 1er étage, chambre à coucher, cuisine et w.-c.
Prix : 5 à 6000 fr.

2. Les Muguets.
Petite maison pour les environs de Paris composée d'entrée, salle à manger, 2 chambres à coucher, 1 cabinet de toilette, cuisine, w.-c., et chambre de bonne.
Prix : 7 à 9000 fr.

3. Clair de Lune.
Petite maison de campagne, composée d'une entrée, d'une salle à manger, 3 chambres, 1 cabinet de toilette, cuisine, w.-c. et chambre de bonne.
Prix : 8 à 10000 fr.

4. Villa Stella.
Petite villa dans une forêt pour l'été, comprenant 2 terrasses couvertes, entrée, salle à manger, cuisine, w.-c., 2 chambres à coucher, cabinet de toilette, chambre de bonne et caves.
Prix : 10 à 12000 fr.

5. La Brise.
Petite villa au bord d'une rivière pour amateur de la pêche à la ligne ou canotage, composée d'un grand porche couvert, d'une entrée, d'une salle à manger, d'une cuisine-office, w.-c., 3 chambres, cabinet de toilette, chambre de bonne et caves.
Prix : 12 à 14000 fr.

Construction

VILLAS "STYLE GUIMARD"

pour la Campagne, les Bords de la Mer
et le Midi de la France

6. Cika.
Villa pour artisan, composée d'un grand atelier de travail, d'un porche couvert, salle à manger, cuisine, 3 chambres, cabinet, w.-c. et chambre de bonne, le tout sur cave.
Prix : 14 à 16 000 fr.

7. L'Eolienne.
Villa pour famille de musiciens, composée d'une grande salle de famille avec terrasse, d'un petit salon, deux chambres à coucher, un cabinet, cuisine, w.-c., chambre de bonne et remise à vélos.
Prix : 10 à 18 000 fr.

8. Auberge Moderne.
Le tourisme moderne rendant les excursions fréquentes, les restaurants de campagnes étant mal situés, la construction d'auberges modernes, dans de beaux sites des environs de Paris, rendrait de grands services.

Une grande salle bien aérée, largement ouverte sur une terrasse dominant le plus beau point de vue, avec cuisine, office, dépendance et terrasse couverte, avec salon au 1er étage, fourniraient avec le logement de l'aubergiste le type du genre.
Prix : 16 à 20 000 fr.

9. Aurora.
La vie dans ce cadre merveilleux qu'est la forêt de Chantilly exige une architecture élégante, réalisant tout le confortable moderne.

Le grand porche fait une entrée somptueuse et sera utilement employé pour y servir les repas et y trouver le repos au grand air; une salle à manger, un salon, cuisine et office forment le rez-de-chaussée; au premier étage, 3 chambres de maître et 1 cabinet de toilette, 2 chambres de bonne complètent cette construction.
Prix : 18 à 22 000 fr.

10. Les Galets.
Au bord de la mer, les matériaux naturels permettent de donner aux constructions un aspect particulier en harmonie avec la nature.

Le rez-de-chaussée composé d'une entrée sur mer et pouvant servir de porche couvert abri des grands vents et en communication avec le salon et la salle à manger assure à cet étage un bien-être de vie à la mer.

Au 1er étage, 3 chambres, cabinet et chambre de bonne complètent cette construction.
Prix : 18 à 25 000 fr.

11. Gri-Gri.
Dans les Vaux de Cernay si réputés et appréciés des artistes, on peut concevoir, avec les dispositions naturelles de beaux sites, la demeure rêvée par un artiste.

L'entrée avec un escalier direct conduisant au grand atelier de l'artiste indique clairement la partie intéressante de la villa. Au rez-de-chaussée une salle à manger avec un magnifique terrain qui

permet de vivre continuellement dehors,
un petit salon, cuisine office et w.-c;
au rez-de-chaussée *(sic)*, deux chambres
à coucher, un cabinet, un w.-c. et une
chambre de bonne complètent avec
le grand atelier cette villa d'artiste.
Prix : 28 à 30000 fr.

12. Les Charmilles.
Le cadre et les beautés architecturales
de Pierrefonds rendent ce séjour
particulièrement agréable aux amateurs
du beau et du confortable.
    La disposition de cette villa répond
à ce programme avec son salon et sa salle
à manger régulièrement disposés sur les

côtés d'une grande pièce ouverte sur les
perspectives de la nature. 3 chambres,
cabinets, salle de bains et chambre
d'amis, deux chambres de bonne
complètent cette villa.
Prix : 35 à 40000 fr.

13. Castel d'Orgeval.
Dans les environs de Vaucresson, je
présenterai pour une famille d'artistes
une situation permettant d'édifier une
villa comprenant une jolie entrée
donnant sur un escalier se développant
en façade; un salon, un atelier pour
l'artiste, une salle à manger avec une
belle terrasse réunissant le salon et

l'atelier complètent le rez-de-chaussée; au 1er étage, 3 chambres, 1 chambre d'ami, 3 chambres de bonne et salle de bains.

Prix : 45 à 60 000 fr.

14. Castel Yvonna.

Villa répondant à des dispositions particulières pour assurer aux pièces d'habitation une protection réelle contre les ravages accablants du soleil du midi.

Le Castel Yvonna, par la disposition de son comble qui couvre une grande terrasse, assure un espace abrité pour la vie au grand air.

Un grand hall central sera agréablement utilisé pendant les grandes chaleurs et sur celui-ci, le salon, la salle à manger et le bureau, ou petit salon donnant sur la grande terrasse couverte, forment avec le vestiaire w.-c., lavabo et office au rez-de-chaussée *(sic)*.

Au 1er étage, 4 chambres de maîtres avec cabinets de toilette, lingerie, w.-c. et au 2e étage, 3 chambres de maîtres, 3 chambres de domestiques complètent cette villa.

Prix : 60 à 80 000 fr.

Guimard par lui-même

Guimard n'est pas un théoricien et n'a publié aucune profession de foi. La conférence qu'il prononce en 1899 sur le Castel Béranger est davantage une promotion mondaine de son œuvre qu'un exposé de ses principes. Il prend cependant la plume pour réagir à des critiques désobligeantes publiées dans la presse, et pour plaider en faveur d'un «Art moderne».

La Renaissance des arts dans l'architecture moderne

Le Castel Béranger exprime des sentiments, et à tel point que certains disent même qu'il éveille celui d'un cauchemar! Il m'est impossible, malheureusement, de discuter des appréciations de ce genre; si la vue de cette maison donne le cauchemar à certaines personnes, c'est, peut-être, parce qu'elles ont l'esprit un peu faible, cependant je suis bien obligé de voir si cette opinion est justifiée.

Ainsi les gens qui vont habiter le Castel, me suis-je dit alors, vont avoir le cauchemar. Eh bien! Je vais y vivre moi-même, non pas pour y voir probablement tous les jours des gens évanouis sur les planchers, mais pour suivre de près cette impression. J'ai cherché des gens évanouis, je n'en ai point trouvé, et, à ce sujet, je veux, avant de terminer, vous conter deux petites anecdotes, en commençant, d'ailleurs, par la moins flatteuse pour le Castel, afin de ne pas vous laisser sur une impression désagréable. Un monsieur, visitant le Castel Béranger (ce n'était pas une dame et je le regrette, car j'ai une préférence pour le goût des dames) a l'air tout à coup de blêmir; la concierge, une très brave femme, s'empresse, lui offre d'aller chercher un verre d'eau, et lui demande avec sollicitude s'il n'est pas malade. «Oui, répond le visiteur, je me sens un peu mal, en effet. – Qu'avez-vous donc? Reprend cette bonne concierge. – Je ne sais pas…, c'est ce papier…, je ne sais pourquoi, il me produit un drôle d'effet…» Bref, il s'est remis, sans même avoir besoin d'un verre d'eau, je vous l'assure. Voilà un fait.

Autre fait: Un locataire, étant tombé malade au moment où il emménageait, eut tout juste le temps de se coucher par

terre, sur un sommier, isolément posé
à terre. Il n'y avait pas un meuble dans
sa chambre, rien que mes papiers; en
apprenant cela, je fus pris d'une grande
inquiétude : on va dire que je l'ai fait
mourir, pensais-je! Je n'osais même pas
aller demander au malade des nouvelles
de sa santé. Comme au bout de huit
jours le malheureux vivait encore,
bien qu'il n'eût sous les yeux que les
poutrelles en fer apparentes et les
quatre murs couverts des fameux
papiers, je me décidai à l'aller voir.
Je m'informai prudemment de sa santé,
faisant de très discrètes allusions à ces
papiers qui l'entouraient et je finis par
lui dire, après avoir capté un peu sa
confiance : «Voulez-vous me rendre
un bien grand service? Répondez-moi
donc franchement, comme si vous aviez
devant vous le meilleur de vos amis, de
ces amis auxquels on ne cache rien, et
dites-moi, dans l'état où vous vous
trouviez, quelle impression vous ont
produite ces papiers?»

Il me regarda, et je lui laisse la parole:
«Ah! voyez-vous, c'est très drôle; j'avoue
que, lorsque je suis arrivé malade dans
votre maison, j'appréhendais un peu le
sort qui m'attendait, mais il m'a fallu
vivre là-dedans et rien qu'avec vos murs.
Je me suis cru tout d'abord dans une
pièce meublée et je me suis amusé à
regarder ces papiers qui attiraient
constamment mes regards; j'ai cherché
à comprendre, à voir où commençaient
et finissaient tous les ornements; j'en
ai suivi les lignes, observé les couleurs,
mais je n'ai jamais pu trouver. Cela m'a
beaucoup amusé; j'avoue que, sans eux,
je me serais vraiment bien ennuyé. J'ai
trouvé cela très drôle!»

Le malade est actuellement guéri!
Je n'irai pas jusqu'à affirmer que mes
papiers en soient la cause, mais ce qu'il
y a de certain, c'est que les sentiments

Le Castel Béranger, intérieur d'une chambre
avant l'arrivée de son locataire.

exprimés par le Castel Béranger ne font
pas mourir les gens, et qu'ils ne leur
donnent même pas le cauchemar : il
suffit seulement de s'habituer à leur
harmonie.

Hector Guimard,
extrait de la conférence
sur le Castel Béranger,
in *Le Moniteur des arts*, 7 juillet 1899

«Architecte d'art»

*Vivement attaqué par le critique d'art
Roger de Felice, Guimard s'explique
sur son titre d'«architecte d'art»*

Monsieur le Rédacteur,

Je ne voudrais pas laisser plus longtemps votre public dans «une grande perplexité».

Je ne vois pas comment ma carte «Hector Guimard, Architecte d'Art», gravée en caractères singuliers, peut plonger votre public dans «une grande perplexité», car celui-ci sait que des maisons sont construites dans Paris par des professionnels qui s'intitulent «Architectes» alors que leurs travaux n'ont aucun caractère d'Art; son bon sens lui fait donc comprendre le sens de ce titre, comme il comprend celui de «Serrurier d'Art», «Menuisier d'Art», etc.

Quant à vous, dont la profession est d'écrire, je m'étonne que vous ne sachiez pas que le mot architecte vient du grec, Arkos, chef, et Tecton, ouvrier, donc architecte d'art veut dire chef ouvrier d'art.

Etant donné tous les travaux auxquels j'ai attaché mon nom, je prends le titre qui est propre, ne vous en déplaise. Je ne sais si mon estimé confrère Plumet sera satisfait d'être baptisé d'«Artiste authentique…»?

Puis vous constatez, en parlant de mes aquarelles, que le public approche et cherche, ce dont je suis très honoré, croyez-vous véritablement que c'est à cause de ma carte «Architecte d'Art»? Voudriez-vous le faire croire à vos lecteurs? Mais étant donné qu'il «approche et cherche» parce que je le «proclame» (quel mot?), il apprend l'existence d'un «Style Guimard». Permettez-moi de vous dire que c'est

Détail d'un avant-corps en encorbellement, ou oriel, au Castel Béranger.

heureux qu'il l'apprenne en s'approchant et en cherchant, car vous, dont c'est le métier de lui apprendre, je crois que vous vous y dérobez; comprenant votre embarras, je vais vous le dire : Satisfaire au programme de chacun, utiliser les ressources modernes, profiter des progrès de la science appliquée à toutes les branches de l'activité humaine, exprimer le caractère de la matière, tels sont les principes auxquels se rattache le «Style Guimard» et qui se résume en trois mots : logique, harmonie et sentiment.

Quand vous dites que l'«Architecture d'Art consiste, etc., etc.»… vous paraissez avoir oublié le sens du mot «Architecture» car celui-ci voulant dire «Art de Bâtir», je ne puis comprendre architecture d'art; vos lecteurs auront beau chercher, je suis certain qu'ils ne trouveront pas plus que moi-même… Mais puisque Architecture d'Art il y a, celle-ci consiste d'après vous dans des «raffinements»… et ces raffinements consistent dans des plans inclinés… Il paraît aussi qu'elle consiste «dans l'air inutile»… Qu'est-ce que l'air inutile?… Il est vrai que vous dites que c'est le «suprême degré de luxe…»

L'Art décoratif, février 1904

La décoration de M. Guimard

A l'occasion de l'achèvement de la construction de l'immeuble rue François-Millet, Guimard est interviewé.

Une maison de rapport est un article de commerce. Or, plus une marchandise est répandue, plus son prix marchand diminue par la concurrence; l'article exceptionnel seul permet le prix élevé. Je crois avoir réussi, concernant la décoration de la maison, à concilier mon désir de ne copier personne et le devoir que j'ai d'éviter au propriétaire des frais trop considérables.

D'autre part, une maison doit toujours avoir une «physionomie de jeunesse». Tout pastiche porte en lui les signes de sa vétusté. Répéter des formes anciennes, c'est vieillir volontairement une demeure et avancer le jour où elle sera démodée. En outre, le goût public évolue peu à peu et, quoiqu'encore inconsciemment, penche vers un art plus actuel.

Enfin, il y a un devoir majeur pour le constructeur d'aujourd'hui : traduire les besoins actuels, voire ceux de demain. Le temps approche où les mobiliers de styles anciens céderont le pas à des œuvres nouvelles. Déjà, entre autres, le style anglais s'acclimate dans certaines salles à manger, bureaux et cabinets de travail. Et vous savez l'effort de nos décorateurs modernes. Il y a donc un courant, et le nombre des amateurs va croissant.

Néanmoins, l'architecte aujourd'hui doit encore tenir compte, dans une certaine mesure, des mobiliers existants. Ce tournant d'histoire lui crée des difficultés singulièrement malaisées à esquiver. Il doit innover et se mettre d'accord avec le goût moyen. Incompatibilité? Impasse? Je ne crois pas. En attendant, tenons-nous en à un style calme, neutre, s'harmonisant, par l'ambiance qu'il crée, avec les détails mobiliers qui y seront situés par le preneur.

En cette période transitoire, s'il ne s'agit pas d'un hôtel particulier où l'invention est libre, ce style intermédiaire s'impose.

Reparlons maintenant de ma décoration. Si chacun de nous concevait ses modèles, les industriels producteurs en auraient bientôt des milliers en magasins, dont l'établissement coûteux ne serait pas compensé par le débit. Faut-il donc en rester aux types surannés ou laisser à l'industriel le soin d'en créer, d'en composer de nouveaux? Non certes, car dans ces conditions, il y aurait inharmonie entre les divers éléments rapprochés dans l'œuvre et émanant d'industriels distincts, sans cohésion esthétique les uns avec les autres. A l'architecte donc – et c'est la tradition qui reparaît ici – de se consacrer à la création des modèles pour le bâtiment. Je dirai, sans fausse modestie, que mon labeur passé m'a autorisé à enquêter

B anquette de fumoir, destinée au Castel
Béranger, surmontée d'une vitrine et
de tablettes.

dans ce sens. J'ajoute que l'approbation d'un grand nombre de confrères m'a récompensé de n'avoir pas trop douté de moi. J'ai donc établi des modèles et les ai abandonnés aux industriels qui, depuis quelques années, les utilisent.

Dans la première année, l'industriel producteur de mes fontes en a fourni pour 3 000 francs, notamment à la province, où la consommation a progressé à 15 000 francs la deuxième année, à 40 000 francs l'année suivante. J'ai trouvé en cet heureux résultat la démonstration pratique de ce que le renouveau des formes n'est point aussi hostilement envisagé qu'on le croit. [...]

Il faut que la façade soit économique. Il y a incohérence à y débiter la pierre avec de fortes saillies où le ravaleur et le sculpteur viendront abattre des parties inutiles. Il faut éviter cette faute capitale, élever la façade avec la certitude que la parure de la pierre n'entraînera aucune perte de matière, décorer surtout par la juste harmonisation des pleins et des vides, par une décoration sobrement

mesurée, d'un prix d'établissement minime.

L'Architecture moderne,
octobre-novembre 1911

Guimard plaide en faveur de l'Art nouveau et insiste sur les difficultés que rencontre l'architecte soucieux d'élaborer un cadre de vie moderne.

Monsieur le Directeur, vous me saurez gré de vous avoir demandé de prendre parti avec nous pour l'Architecture moderne qui peut seule doter l'Art français d'un style nouveau, et ce que je voudrais aujourd'hui, c'est inviter mes confrères à prendre la place qui leur est assignée dans ce mouvement de rénovation artistique. C'est pourquoi j'aimerais que la *Construction moderne* encourage les productions modernes de la plupart de mes confrères. Comment ne pas rendre hommage aux efforts et aux résultats marquants d'architectes comme Charles Plumet, comme Herscher, Sauvage, Bluysen, Boileau fils, dont les œuvres sont de plus en plus imbues de modernisme car, comme le disait votre rédacteur, M. Couturaud : « Y a-t-il si loin des modernes à ceux qui le sont moins ? » et « Pour qui s'attaque au rude problème de dégager les formes décoratives qui sont l'expression de notre Art moderne et de notre civilisation moderne, combien d'autres vont de l'avant, sans s'en douter, et même en s'en défendant ».

Si donc tout le monde est d'accord pour désirer un Art moderne, je suis bien placé pour reconnaître les difficultés matérielles qui arrêtent mes confrères pour réaliser complètement des œuvres modernes. Comment peut-on reprocher aux architectes de reproduire toujours les mêmes motifs surannés lorsque les industriels du bâtiment ne sont pourvus que de modèles Louis XVI?

Si l'architecte veut bien tout dessiner, jusqu'aux moindres détails de sa construction, les frais de modèles représentent une dépense de temps qui rend la réalisation de son effort absolument impossible.

Il faudrait donc pour résoudre ce problème que les industriels du bâtiment renouvelassent leurs modèles et qu'ils établissent des catalogues de nouveaux modèles qui, combinés pour les besoins pratiques de notre construction moderne, se compléteraient les uns par les autres en exprimant un sentiment nouveau, celui de notre époque.

C'est aux architectes à diriger les créations, aussi est-ce la tâche à laquelle, depuis 15 ans, je me suis exclusivement consacré avec des industriels qui ont établi des modèles nouveaux d'un prix courant et qui sont aujourd'hui, commercialement, à la disposition de tous mes confrères.

Je ne veux pas laisser sous silence leurs noms, vous me permettrez de rendre ici hommage aux sacrifices faits par les Fonderies de Saint-Dizier pour les fontes, à la maison Vital Evrard et à la société Devillers pour les marbres, à la maison Brun-Cottan pour la quincaillerie, au céramiste Gillet, à la maison Sigg et Godmann pour les places, à la maison Parlant et Biron pour les tapis, etc.

Si mes confrères veulent feuilleter l'album des Fonderies de Saint-Dizier (Haute-Marne) ils verront l'effort considérable fait par cette usine pour doter le bâtiment moderne de tous les éléments qui lui sont nécessaires.

C'est ainsi que j'ai pu réaliser la construction des immeubles de la rue Lafontaine au prix courant de la construction, puisque le prix de revient de ces immeubles en pierre de taille et munis de tout le confort moderne varie entre 1 000 et 1 200 francs le mètre de construction.

Grâce à eux donc, j'ai pu, avec des appartements variant entre 1 000 et 3 000 francs, donner au capital engagé un rapport net qui dépasse 5 %.

Voilà, Monsieur le Directeur, ce qu'il me semble intéressant de dire à vos lecteurs, que j'aurais beaucoup mieux aimé faire lire sous votre signature.

Croyez, Monsieur le Directeur, aux sentiments les meilleurs de votre vieil abonné.

La Construction moderne,
février 1913

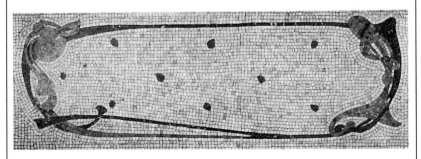

M osaïque provenant du sol du vestibule d'entrée du Castel Henriette.

Réactions et polémiques contemporaines

L'œuvre de Guimard a suscité des campagnes de presse, en particulier le Castel Béranger et les entrées du Métropolitain. Au contraire, à partir de 1905, une véritable conspiration du silence s'installe, jusqu'à une première relecture par les surréalistes à la fin des années vingt.

Maisons modernes

La proclamation des résultats du concours de façades en 1899 relance le débat sur le Castel Béranger.

Je me suis empressé d'aller porter mes hommages à la première lauréate que les journaux signalaient à Auteuil, dans la rue du bon La Fontaine; et ce petit voyage m'a enchanté. Elle est charmante la première lauréate. Elle est surtout d'une originalité intense. D'abord, elle n'a pas de petits carreaux, ce qui est déjà bien subversif… Puis, pour du style nouveau, voilà certes du style nouveau. Il paraît que cette maison était déjà célèbre dans le pays. Des Anglais passaient le détroit pour venir la voir. On l'appelle à Auteuil la Maison des Diables. Ce nom est assez justifié! Il y a, du rez-de-chaussée à la toiture, une folle ascension de figures grimaçantes, de groupes fantastiques, où l'artiste voulut peut-être représenter des chimères, mais où le populaire voit surtout des démons, et qui font se signer à vingt pas toutes les vieilles femmes de l'arrondissement. Il y a des diables aux portes, des diables aux fenêtres, des diables aux soupiraux des caves, des diables aux balcons et aux vitraux, et l'on m'assure qu'à l'intérieur, les rampes d'escalier, les boutons de fourneaux, les clés des placards, tout, depuis le salon jusqu'à l'office, est de la même diablerie.

Si Dieu ne protège plus la France, le diable du moins semble protéger Auteuil. Parisiens, dormez en paix!

Jean Rameau,
Le Gaulois,
3 avril 1899

Paul Signac au Castel Béranger

Paul Signac fait du Castel Béranger une description de peintre, insistant sur la richesse chromatique de la palette de Guimard.

Le Castel Béranger n'a de romantique que sa dénomination; c'est un très moderne immeuble de rapport à trois corps contenant une quarantaine d'appartements. Sa façade, au lieu d'être l'habituel rectangle, percé d'ouvertures symétriques, est multiple : la brique rouge ou émaillée, la pierre blanche, le grès flammé, la meulière s'y disposent en pans inégaux et en teintes variées sur lesquels grimpent, teintés d'un unique bleu-vert, le fer et la fonte des balcons, des bow-windows, des ancres de chaînage, des tuyaux, des chêneaux, et les boiseries, d'une teinte identique, mais à un ton plus clair. La porte d'entrée en cuivre rouge étincelle; le vestibule n'a rien du banal vomitoire acajou en faux-marbre : les grès flammés de Bigot, le cuivre, la tôle découpée, la mosaïque de grès cérame, la fibrocortchoïna le revêtent somptueusement; les escaliers n'ont pas la sournoise gravité de celui de Pot-Bouille : ils sont hardiment orangé, bleu ou vert, les murs recouverts de cordolova et d'étoffes aux arabesques dynamogéniques, les marches tendues de tapis aux entrelacs escaladeurs.

Chaque appartement a son caractère particulier : le bourgeois, le travailleur, l'artiste, le smart y peuvent trouver ce qui leur convient; l'amateur des jardins y peut satisfaire ses goûts grâce aux plates-bandes du rez-de-chaussée ou des terrasses supérieures.

Paul Signac,
La Revue blanche,
15 février 1899

Les meubles modernes

Avant d'être son ami, Frantz Jourdain est l'un des ardents défenseurs de Guimard.

Parmi les rares courageux qui ont bravé sarcasmes, haines, vengeances basses, et se sont vaillamment enrôlés sous le drapeau de l'Art nouveau, il faut citer M. Guimard, dont j'ai suivi les premiers essais avec un intérêt légèrement égoïste, car sa soif d'indépendance flattait mes convictions les plus chères. Il y a en lui un sympathique touche-à-tout, un inquiet, un nerveux, un chercheur, un vivant qui ne se juge jamais arrivé au but, qui travaille âprement à s'améliorer, qui lutte énergiquement contre les difficultés, qui tend sans relâche vers la perfection rêvée, qui ne se cantonne dans aucune spécialité, et qui ne s'attarde pas à l'étape rendue doublement douce par la fatigue et les épreuves du voyage : inlassable, sourd aux lâches tentations du bon gîte, il repart à la conquête de l'immarcescible beauté, les yeux vers l'avenir, attentif aux halètements rythmiques de l'humanité qu'il suit et qui le guide. Je ne critique nullement l'artiste de n'employer que la branche, puisqu'il en tire des effets curieux, imprévus, souples, amusants, délicats, lui permettant de jeter à la rue les vieilles formules, mais qu'il ne cherche pas à imposer à d'autres un choix étroit, capable de déformer et de tortionner un tempérament opposé au sien. Fatigués jusqu'à l'écœurement de la ligne droite, nous regardons, avec délices, ces courbes graciles et légères, audacieuses et simples, qui invoquent le souvenir un peu mélancolique d'un bois grelottant sous la bise hivernale : mais, demain peut-être, un nouveau venu sera tenté par les timides et adorables frondaisons du printemps, par l'épanouissement exubérant de l'été, par les fruits dorés réveillant d'une note éclatante la rouille automnale des feuilles, et celui-là aura le droit de chanter l'apothéose de la nature, sans se préoccuper d'un code esthétique dont l'inflexibilité le révolterait.

Frantz Jourdain,
La Revue d'art,
4 novembre 1899

Du Gothique au Moderne

Qu'adviendra-t-il de l'art créé par M. Guimard? Je ne me hasarderai pas à le prévoir. Le temps, ce critique infaillible, fera lui-même la part de ce qui doit rester et de ce qui passera.

Du décorateur, il retiendra sans doute quelques motifs heureux, et de l'ébéniste l'élégance des courbes. Il retiendra surtout la science du constructeur et son sens du pittoresque, si précieux pour le renouvellement de l'esthétique de nos rues. Enfin, si l'art de M. Guimard, pris dans son ensemble, doit passer parce qu'entaché de bizarrerie, et s'il n'inaugure pas le style de demain, comme quelques-uns l'ont pensé, il apparaîtra, du moins, à nos petit-neveux, comme l'aparté brillant d'un véritable artiste qui eut à un haut degré le sens de la ligne harmonieuse. Une tentative du genre de la sienne ne pouvait avoir lieu sans quelques excès, et n'eût-elle servi qu'à nous débrider, il faudrait la tenir pour heureuse. Les œuvres qu'il a faites sont simplement une réponse personnelle à la question brûlante du style moderne qui se pose de plus en plus. Cette question est la suivante.

Il s'agit de savoir – pour employer un langage cher aux théoriciens novateurs – si nous continuerons «à détrousser les anciens, à piller les vieux monuments, à consulter les byzantins, à singer les gothiques et à rééditer du Louis XVI» ou si nous prendrons une fois pour toutes le parti de formuler un art, qui, basé sur nos traditions nationales, dirigé par les principes éternels, enrichi de tout ce que l'industrie moderne met à notre disposition, correspondra enfin à notre état d'âme, satisfera nos besoins d'espace et de lumière aussi bien que nos goûts à la fois simples et raffinés, et traduira notre civilisation.

L'art de M. Guimard n'est, je le répète, que la réponse d'un seul à cette question. Si la réponse ne vaut pas, il faut en chercher de meilleures, car la question reste posée.

Le Mois littéraire et pittoresque,
septembre 1901

La Commission du Vieux-Paris, hostile à Guimard, consacre de nombreuses séances aux entrées du Métropolitain et surveille de très près l'évolution des travaux.

Observations relatives aux gares du Métropolitain

M. Wiggishoff dit que, sans vouloir discuter le style des petits monuments servant de gares au chemin de fer métropolitain, il ne s'explique pas pourquoi on a utilisé, pour les inscriptions placées au-dessus de leurs portes, un alphabet bizarre et fantastique, composé de lettres informes n'en permettant, surtout aux étrangers, que très difficilement la lecture. Il estime que les inscriptions officielles devraient être composées d'un caractère net et lisible pour tout le monde.

Qu'en arriverait-il, ajoute M. Wiggishoff, si cette fantaisie venait à gagner un jour les plaques indicatives des noms de rues?

M. André Hallays appuie les

La sortie de la station du Métropolitain Palais-Royal au début du siècle.

observations de M. Wiggishoff et estime qu'il y aurait peut-être lieu d'émettre un vœu pour que toutes les inscriptions officielles soient faites en caractères «naturels».

27 juin 1901

Consultation sur l'aménagement d'une sortie du Métropolitain devant l'Hôtel de Ville

M. le Président fait part du désir manifesté par l'Administration de prendre, au point de vue de l'esthétique, l'avis de la Commission sur le projet d'aménagement d'une sortie du Métropolitain devant la façade de l'Hôtel de Ville. Il donne la parole à M. de Pontich, directeur des Travaux, pour le développement de l'affaire. […]

M. André Hallays craint surtout que cette sortie supplémentaire de l'Hôtel de Ville soit ornée d'accessoires bizarres et qu'on ne se contente pas, comme à l'Opéra, d'une simple balustrade ne dénaturant pas l'aspect de l'édifice.

M. Quentin-Bauchart critique également le style des édicules servant de gare au Métropolitain et préconise vivement la disparition des deux affreux champignons qui recouvrent les accès de la place de l'Etoile et dont l'un n'a aucune utilité.

Il faudrait, selon lui, les enlever complètement et les remplacer par de simples balustrades comme celles de la place de l'Opéra.

15 décembre 1904

La gare de l'Opéra

Cette nouvelle gare souterraine ne paraît décidément pas obtenir un succès incontesté, ni dans le public, ni dans la presse. Peut-être la trouvera-t-on superbe un peu plus tard; pour le moment, elle est fort critiquée.

Le *Matin*, sans trop s'avancer, constate que, d'après les uns, la balustrade, étudiée cependant par M. Cassien Bernard, s'harmonise mal avec le style de notre Académie de musique. Cette harmonie paraît préoccuper beaucoup les flâneurs de la place et les journalistes. Il constate également que d'autres expriment de terribles craintes : la balustrade actuelle, n'ayant que la hauteur d'une balustrade, leur paraît insuffisante pour protéger les «manifestants» qui, poussés par la cohue, pourraient être précipités dans l'abîme souterrain. [...]

Le public n'a pas à y intervenir; ce qui l'intéresse surtout, c'est l'opinion de M. Guimard qui, intervenant dans ce subtil débat sur «l'harmonie» qui semble tant préoccuper les journaux, a fait cette déclaration très sensée : «Est-ce qu'on devra dorénavant harmoniser la gare du Père-la-Chaise avec le Père-la-Chaise?

Harmoniser celle de la Morgue avec la Morgue? Et devra-t-on placer une danseuse, la jambe haut levée, devant la gare de la place Blanche, pour l'harmoniser avec le Moulin-Rouge?»

Hé! hé! Si chaque maillon de la chaîne des gares métropolitaines était ainsi mis en parfait accord avec tous les monuments échelonnés sur le parcours n'obtiendrait-on pas une variété des plus réjouissantes?

Seulement, quelle difficulté pour réaliser ces accords variés : avec l'obélisque ou la colonne de Juillet, les abattoirs ou la rotonde de la Villette, la rotonde du Palais-Royal ou la Chambre des Députés, la Madeleine ou les Bains Deligny, la Belle-Jardinière ou le Luxembourg, les magasins du Printemps ou les Classes Laborieuses, etc., etc.!

Pourquoi, par réciprocité, n'exigerait-on pas à l'avenir une complète harmonie entre tous les édifices qu'on bâtira et les gares déjà existantes du Métropolitain?

Quelle admirable unité régnerait alors dans toute l'architecture parisienne! Malheureusement, il faut avouer que cette résolution se heurterait à d'insurmontables difficultés. Renonçons donc, avec M. Guimard, à la voir jamais se réaliser.

La Construction moderne,
8 octobre 1904

A travers l'exposition, Pavillon «Style Guimard»

A l'occasion de l'Exposition internationale de l'habitation et des industries du bâtiment, en 1903.

«Pavillon», qu'est-ce à dire?
Est-ce une maison? – Non.
Est-ce un cottage? – Non.
Est-ce un pavillon pris dans le sens habitat? – Non.

C'est plus. C'est la synthèse des doctrines architectoniques que, depuis 15 ans bientôt, Guimard s'efforce de matérialiser. Avec raison, Guimard a pensé que l'architecture devait se modifier dans sa structure, dans ses formes au fur et à mesure que l'industrie et que les arts industriels fourniraient à l'architecte des moyens nouveaux de construction. En cela, il a raisonné comme avant lui ont raisonné les maîtres de l'œuvre de tous les temps, comme ceux qui ont créé les «styles», que, trop longtemps, les architectes ont imités, alors qu'autour d'eux les mœurs s'étaient modifiées, que des matériaux nouveaux imposaient logiquement des solutions nouvelles. Et, avec un courage dont j'admire, quant à moi, la persistance, il a poursuivi patiemment, avec méthode et souvent en se corrigeant lui-même, la réalisation d'un idéal architectonique que je pourrais appeler le rationalisme de l'art.

A-t-il toujours réussi?

Est-ce que les révolutionnaires dans les sciences, dans les arts, réussissent toujours du premier coup?

Est-ce que, pour s'affirmer, libre de toutes scories, fière et pure, la pensée de l'artiste, de tous les artistes, n'est pas toujours soumise à de sévères étamines?

Guimard les a subies. Encore il les subira. Et j'en ai la preuve dans les propos de quelques confrères :

– Il me saoule, Guimard, avec son architecture.

– Ah! Guimard, c'est la main experte d'un artiste endormi qui trace au hasard sur un tableau noir des lignes fantaisistes, qu'au réveil il nous dit d'admirer.

– Guimard, me dit un autre, en face de son pavillon : Que veut-il donc prouver? Ces formes contre nature sont la négation même de l'art qui doit être fait de simplicité.

Mais non, mais non, Guimard cultive une orchidée architectonique qui aujourd'hui semble paradoxale mais qui, demain, c'est-à-dire dans dix ans ou dans vingt ans ou plus encore, deviendra en architecture une fleur radieuse... et classique.

Stanislas Ferrand, architecte-ingénieur,
Le Bâtiment, 9 août 1903

La Société des artistes décorateurs au Pavillon de Marsan

Les clients de M. Guimard ont mis une bonne grâce évidente à se dépouiller momentanément au profit de son exhibition. Aimez-vous le «style national», l'interprétation de la carcasse de volaille, les tables ondoyant au souffle du passant, les bibliothèques montées sur pattes de tortues, les chaises prêtes à s'agenouiller, les motifs pouvant indifféremment être traités en bois, fer, bronze, étoffe, papier ou ciment armé? On en a mis partout, avec une profusion que le pire ennemi de l'«Architecte d'art» ne pourrait souhaiter plus indiscrète. Pourquoi le talent très réel de M. Guimard, qui possède de si sérieuses qualités de fantaisie et de grâce, a-t-il tant sacrifié au bizarre, à l'illogique, à l'extravagant? On a de lui des ensembles d'un raffinement exquis de forme et de couleur, mais que de folies les font oublier! Guimard est estimé de beaucoup pour ce qu'il a fait de délicat, mais il est connu de bien davantage pour ce qu'il a fait d'exécrable. Le plus fâcheux est que cette popularité de mauvais aloi rejaillit sur toutes les tentatives de décoration moderne et, pour le public peu averti qui est le grand public, tous ceux qui ont essayé de s'affranchir de la copie ou du pastiche des styles consacrés dans le domaine de l'architecture et du mobilier «font du

Guimard». Et cette formule veut être tout le contraire d'un compliment.

Eugène Belville,
L'Art décoratif, janvier 1908

L'inauguration de la rue Agar

Tout récemment encore, Auteuil était une cité pleine de verdure, paisible et lointaine. Cité de luxe et de repos, dont les rues étroites et montueuses, non pavées, étaient bordées de clôtures basses, de villas et de jardins.

Maintenant, les villas disparaissent et les jardins, un à un, sont défrichés. Le long des rues élargies et redressées s'élèvent, chaque jour plus nombreux, de riches immeubles de six à sept étages, de somptueuses et hautes façades de pierre blanche.

Paris va dévorer Auteuil : les villes s'étendent toujours vers l'Ouest. C'est ainsi qu'un nouveau groupe d'immeubles vient d'être construit au coin de la rue Gros et de la rue Lafontaine, par M. Hector Guimard, pour la Société générale des Constructions modernes. Une voie nouvelle le traverse et le met en valeur; et cette rue, par une délicate attention de la Société qui l'a créée, a reçu le nom de la tragédienne Agar qui habita Auteuil à la fin de sa vie, de 1870 à 1880.

On a inauguré dimanche la rue Agar, à l'entrée de laquelle un médaillon d'une belle et émouvante sobriété rappelle les traits de l'illustre tragédienne. Et ce fut, devant ce monument, comme l'a dit fort justement un de nos confrères, une jolie cérémonie de l'automne et du souvenir.

Une estrade avait été dressée, abritée de drapeaux, entourée de plantes vertes. Alentour toutes les fenêtres des nouveaux immeubles étaient fleuries, tous les balcons garnis de touffes de chrysanthèmes. Il semblait que les

habitants, qui depuis peu sont entrés dans ces maisons neuves, eussent voulu, par là, prouver leur gratitude à l'architecte. Ils le peuvent; nous avons visité quelques appartements : leur distribution pratique et confortable convient absolument aux exigences de la vie actuelle. Leur décoration, empreinte de ce caractère nouveau qu'ont toutes les œuvres de M. Guimard, est sobre et jolie; les débauches de ce qu'on a appelé le «Modern Style» sont oubliées. M. Guimard après quinze ans d'efforts, ayant épuré son dessin et simplifié ses lignes, paraît en possession de ce qu'il cherchait.

La Construction moderne,
10 novembre 1912

Un bel exemple pour les jeunes : Hector Guimard

Voilà dix-huit ans qu'il lutte. Le Castel Béranger fut son premier défi, et aussi ce joli semis d'entrées du Métro, tout cela tant blagué, honni, traité d'art macaronique, bizarre, grotesque, inacceptable. Au lieu de railler, sans approuver ce qui me choquait de cette recherche trop tourmentée, mais sûr d'être en présence d'une volonté de création, d'originalité, je cherchai à comprendre, j'allai voir Guimard, je sollicitai des explications, je suivis passionnément l'évolution devinée, nécessaire, qui fut magnifique.

Plusieurs fois, de sa parole chaude et vibrante, le grand artiste m'exposa sa théorie, ses projets, son but. Respecter les siècles passés sans les imiter et marquer ce respect en cherchant comme eux en toute probité un style adapté à l'époque, faire de l'art vivant et non de l'art plaqué, de la stylisation de nature qui n'est peut-être que déformation monstrueuse, trouver dans la matière seule et conforme à «l'esprit» de cette matière des sujets décoratifs, inventer des harmonies de lignes et non copier celles que nous offre la flore, rendre pratique en même temps que rare et joli tout objet d'utilité courante, qu'il s'agisse d'un siège, d'une serrure, d'une cheminée, d'une armoire, bref de tout ce que comporte un intérieur moderne, distribuer une maison pour la plus grande commodité de celui qui l'habite en même temps que pour sa plus grande joie esthétique, voilà quelques-unes des affirmations de Guimard. Je les donne sans lieu, mais elles comporteraient une étude méthodique : la fera-t-il ou la ferai-je? En tous cas elle vaudrait d'être précise et mise entre toutes les mains. Ses projets? Un à un il les a réalisés. Je passe sur les étapes, sur ces immeubles égrenés surtout à Auteuil, et qui font présager une ère nouvelle où le pittoresque enfin sera restauré après tant d'années de morne banalisation. Il y a quelques mois, on inaugurait ce coin délicieux de la rue Agar… Il y a quelques jours, cette maison modèle de l'avenue Mozart, une merveille de bon goût, d'élégance et de confort : le tout dessiné par le Maître, et exécuté, ou par lui, ou sous ses yeux, des fondations jusqu'à la crête, et jusqu'aux plaques de propreté des portes. On devine quelle unité d'art résulte de cette unité de direction. Et n'est-ce pas le dernier mot du bon sens qu'un seul homme préside au destin d'un bâtiment, tels jadis ces constructeurs de cathédrales qui précisaient leurs plans dans les plus infimes détails, dût la mort les arrêter en cours d'exécution? Voilà pourquoi Guimard, révolutionnaire, est un traditionnel malgré tout : il reprend en esprit la haute tradition des maîtres en y infusant le sang neuf de sa puissante personnalité.

Son but? Simplifier encore. Et démonatiser : elle présente un curieux enseignement, la comparaison de ses anciens travaux et des plus récents. Quel apaisement dans l'originalité? Les excès sont partis, les talents restés. Plus rien ne choque. Tout à sa place : formes et couleurs. Un logis de Guimard devient palais où les yeux s'émerveillent, où l'âme se repose. C'est la poésie de l'architecture.

Mais une poésie qui revient cher. On comprend aisément pourquoi Guimard va chercher maintenant à utiliser ses modèles, à rendre ses idées accessibles à toutes les bourses. Il y parvient peu à peu. Quand on aura du Guimard au même prix que de l'abominable Dufayel, la victoire sera définitive, le beau mis à la portée de tous. Alors, outre le style Guimard, d'autres styles surgiront, frères par certaines règles générales nées de leurs communes nécessités et leur créant leur tradition, mais différents par les tempéraments désireux de s'exprimer. Et tous ces styles concourent à l'établissement d'un style d'ensemble, vraiment nouveau, et digne de l'étonnante résurrection de l'art décoratif dont nous visons l'aurore certaine. Cette aurore aura eu pour soleil Hector Guimard, superbe exemple à donner à tous les jeunes. Et voilà pourquoi le déjeuner de l'autre jour m'émut singulièrement. J'avais conscience d'assister à une de ces genèses d'où sort un ordre nouveau, une genèse comparable à celles où frémissaient d'enthousiasme, pareils à des dieux, les gars de la Pléiade chez Daurat, ou les classiques dans la célèbre maisonnette d'Auteuil… Auteuil, coin de verdure décidément propice à l'éclosion du génie.

M.-C. Poinsot,
Les Pages modernes, mai 1913

CE QU'IL RESTE DE GUIMARD AUJOURD'HUI

Hôtel Roszé, 1891, *34 rue Boileau, Paris 16ᵉ.*
Hôtel Jassedé, 1893, *41 rue Chardon-Lagache, Paris 16ᵉ.*
Hôtel particulier, 1893, *63 avenue du Général-de-Gaulle, 92 Issy-les-Moulineaux.*
Hôtel Delfau, 1894, *1 rue Molitor, Paris 16ᵉ.*
Castel Béranger, 1895-1898, *14 rue La Fontaine, Paris 16ᵉ.*
Ecole du Sacré-Cœur, 1895, *1 avenue de la Frillière, Paris 16ᵉ.*
Atelier Carpeaux, 1895, *39 boulevard Exelmans, Paris 16ᵉ.*
Villa La Hublotière, 1896, *72 avenue de Montesson, 78 Le Vesinet.*
Maison Coilliot, 1898-1900, *14 rue de Fleurus, 59 Lille.*
Villa La Bluette, 1899, *rue Pré-de-l'Isle, 14 Hermanville.*
Villa La Sapinière, 1899-1903, *rue Pré-de-l'Isle, 14 Hermanville.*
Edicules et entrées du Métropolitain, 1900, Paris.
Castel Val, 1903, *4 rue des Meulières, 95 Auvers-sur-Oise.*
Immeuble Jassedé, *142 avenue de Versailles et 1 rue Lancret, Paris 16ᵉ.*
Castel Orgeval, 1904, *2 avenue de la Mare-*

Tambour, 91 Villemoisson-sur-Orge.
Hôtel Deron Levent, *8 villa de La Réunion, Paris 16ᵉ.*
Maison, *16 rue Jean-Doyen, 95 Eaubonne.*
Chalet Blanc, *2 rue du Lycée, 92 Sceaux.*
Hôtel Guimard, 1909, *122 avenue Mozart, Paris 16ᵉ.*
Immeuble Trémois, 1909, *11 rue François-Millet, Paris 16ᵉ.*
Immeubles de rapport, *17, 19 et 21 rue La Fontaine, 8 et 10 rue Agar, 43 rue Gros, Paris 16ᵉ.*
Hôtel Mezzara, 1910, *60 rue La Fontaine, Paris 16ᵉ.*
Synagogue, 1913, *10 rue Pavée, Paris 4ᵉ.*
Villa Hemsy, 1913, *3 rue de Crillon, 92 Saint-Cloud.*
Immeuble de bureaux, 1914, *10 rue de Bretagne, Paris 2ᵉ.*
Hôtel particulier, 1921, *3 square Jasmin Paris 16ᵉ.*
Villa Flore, 1924-1926, *120 avenue Mozart, Paris 16ᵉ.*
Immeuble de rapport, 1926, *18 rue Henri-Heine, Paris 16ᵉ.*
Immeubles de rapport, 1927-1928, *36 et 38 rue Greuze, Paris 16ᵉ.*

BIBLIOGRAPHIE

Guimard, sous la direction de Philippe Thiébaut, avec la collaboration de Georges Vigne, Claude Frontisi, Marie-Madeleine Massé, Marie-Laure Crosnier Lecomte, catalogue de l'exposition Guimard, au musée d'Orsay (13 avril, 26 juillet 1992), et à Lyon au musée des Arts décoratifs et des tissus (25 septembre 1992, 3 janvier 1993).

Sur l'Art nouveau :
L'Architecture de l'Art nouveau, ouvrage collectif sous la direction de Franck Russell, Paris, 1982.
L'Art du XIXᵉ siècle, 1850-1905, ouvrage collectif sous la direction de Françoise Cachin, Paris, 1990.
Art Nouveau, catalogue d'exposition, New York, Museum of Modern Art, 1960.
Art Nouveau Belgium France, catalogue d'exposition, Houston, Institute of the Arts, Rice University, 1976.
Les Sources du XXᵉ siècle, les arts en Europe de

1884 à1914, catalogue d'exposition, Paris, Musée national d'art moderne, 1960.
Emile Bayard, *Le Style moderne*, Paris, 1919
Jean-Paul Bouillon, *Journal de L'Art nouveau*, Genève, 1985.
André Chastel, «Le Modern Style», *L'Information de l'histoire de l'art*, 1959, n°3, pp. 118-124.
Salvador Dali, «De la beauté terrifiante et comestible de l'architecture Modern Style», *Le Minotaure*, n° 3-4, 1933, pp. 69-76.
Roger-Henri Guerrand, *L'Art nouveau en Europe*, Paris, 1965.
Jean Lahor, *L'Art nouveau, son histoire; L'Art nouveau à l'Exposition; L'Art nouveau au point de vue social*; Paris, 1901.
Nikolaus Pevsner, *Les Sources de l'architecture moderne et du design*, Bruxelles, 1970.
Robert Schmutzler, *Art nouveau*, Stuttgart, 1962.
Klaus Jurgen Sembach, *L'Art nouveau*, Cologne, 1991.

Sur Paris 1900 :

Le XVIᵉ arrondissement, mécène de l'Art nouveau, 1895-1914, catalogue d'exposition, Paris, mairie du XVIᵉ arrondissement, 1984.

Franco Borsi et Ezio Bodoli, *Paris, Art nouveau, architecture et décoration*, Bruxelles, 1989.

Roger Burnand, *Paris 1900*, Paris, 1951.

Louis Chéronnet, *A Paris vers 1900*, Paris, 1952.

Yvan Christ, «Paris fin-de-siècle disparaît», *Sites et Monuments*, juillet septembre 1965, pp. 3-5.

Raymond Escholier, *Le Nouveau Paris, la vie artistique de la cité moderne*, Paris, s. d. (1912).

Roger-Henri Guerrand, *Mémoires du Métro*, Paris, 1961.

Sur Hector Guimard :

Hector Guimard, catalogue d'exposition, New York, Museum of Modern Art, 1970.

Pionniers du XXᵉ siècle, Guimard, Horta, Van de Velde, catalogue d'exposition, Paris, musée des Arts décoratifs, 1971.

Alain Blondel et Yves Plantin, «Guimard architecte de meubles», *L'Estampille*, n° 10, 1970, pp. 32-40; «Le Monde artistique de Guimard», *Plaisir de France*, n° 387, 1971, pp. 32-40.

Franco Borsi, «Lo Stile Guimard», *Palladio*, vol. XXVII, n°1, 1978, pp. 68-82.

Emilio Colombo, «Hector Guimard, 1867-1942»,

Casabella, 1968, n° 329, pp. 36-56.

Ralph Culpepper, *Bibliographie d'Hector Guimard*, Paris, 1971.

Felipe Ferré, Maurice Rheims et Georges Vigne, *Hector Guimard architecte d'art*, Paris, 1988.

Claude Frontisi, «Hector Guimard retrouvé», *Revue de l'art*, n° 51, 1981, pp. 86-91; *Guimard Hector, architecture*, Paris, s. d. (1985).

James Grady, «Hector Guimard, an Overlooked Master of Art Nouveau», *Apollo*, avril 1969, pp. 284-295.

Francine Haber, «Hector Guimard Surviving Works», Architectural Design, vol. XLI, 1971, pp. 36-40.

Guillaume Jarlot, «Guimard et l'Art nouveau», *Art de France*, t. IV, 1964, pp. 378-383

Luciana Miotto-Muret, «Une maison de Guimard», *Revue de l'art*, n° 3, 1969, pp. 75-79.

Gillian Naylor, *Hector Guimard*, Paris, 1978.

Jérôme Peignot, «Son Graphisme est du grand art», *Connaissance des arts*, n° 217, 1970, pp. 72-79.

Henri Poupée, «Actualité de Guimard», *La Construction moderne*, n° 4, 1970, pp. 41-57.

Philippe Thiébaut, «Un ensemble de fontes artistiques de Guimard», *La Revue du Louvre et des musées de France*, n° 3, 1983, pp. 212-221.

TABLE DES ILLUSTRATIONS

INDEX

CRÉDITS PHOTOGRAPHIQUES

Archives d'architecture moderne, Bruxelles, 35h; Archives de Paris, 24b, 69h, 77g, 80b, 81b, 84b; Art Ressource/Cooper Hewitt Museum, New York, 84h, 86; Avery Library, Columbia University, New York, 44b, 74, 87, 88, 89h, 93h; Bibliothèque Forney, Paris, 37b, 51hg; Bibliothèque historique de la Ville de Paris, 22b; Bibliothèque nationale, Paris, 26; Collection Angel-Sirot, Paris, 60/61; Commission du Vieux-Paris, 14; Droits réservés, 31b, 35b, 44h, 45, 51d, 54, 58b; Ecole nat. sup. des beaux-arts, Paris, 15b, 16/17; Felipe Ferré, Paris, 21, 32h, 47, 48, 67b, 71, 77d, 83d, 1er plat de couverture (détail); Gallimard 15h, 17h; Institut français d'architecture, Paris, 90; Jean-Loup Charmet, Paris, 28, 39b, 42, 43, 49h, 56, 57, 63h, 72, 73h, 106, 107, 108, 4ème plat de couverture; Jean Vigne, Paris, 37h, 40/41, 63b, 93b, 94g, 122, 123; Laurent Sully-Jaulmes, Paris, 26/27, 52, 53, 55b, 73b, 113; Musée d'Orsay / Patrice Schmidt, Paris, 1 à 9, 12, 13, 18, 19, 20, 21, 22h, 25, 27, 29, 30, 32b, 33, 36, 39h, 43, 58h, 64, 66, 67h, 68, 80h, 85h, 89d,92, 94d, 96, 98, 99, 100, 103, 104, 109, 110, 114; Musées de la Ville de Paris/© Spadem, 83g; Museum of Modern Art, New York, 49b, 62, 65, 69b, 70, 85b; Réunion des musées nationaux, Paris, 23, 31h, 51bg, 78d, 79d, 81h, 82h, 101, 112, dos; Roger-Viollet, 56/57, 59, 75h, 117; Toledo Museum of Art, 82b; Union des arts décoratifs, Paris, 11, 24h, 34, 39, 46, 50, 51h, 75b, 76, 78g, 89b, 90/91, 91, 95.

REMERCIEMENTS

L'auteur remercie tout particulièrement Françoise Cachin, directeur du musée d'Orsay, et Patrice Schmidt, photographe au musée d'Orsay, ainsi que Marie-Laure Crosnier Leconte, Marie-Madeleine Massé et Carmen Gallego du service de documentation du musée d'Orsay.
Les éditions Gallimard remercient madame Roxane Debuisson, madame Yvonne Brunhammer et monsieur Felipe Ferré pour l'aide qu'ils ont bien voulu leur apporter.

COLLABORATEURS EXTÉRIEURS

La maquette du corpus a été réalisée par Didier Chapelot, celle des témoignages et documents par Dominique Guillaumin, Any-Claude Médioni a collaboré aux recherches iconographiques.

Table des matières